**場面別でよくわかる！**

# 介護記録の
# 書き方&文例

produced by **U-CAN** Learning Publications

# この本の使い方

本書は、場面別の「観察ポイント」から「伝わる文例」を引くことができる、介護職従事者の方のための一冊です。

## 現場でよくある場面の文例がたっぷり!

場面別の観察ポイントごとに、使える文例がたっぷり詰まっています。「別パターン」「もっと詳しく」等、参考になるコラムも掲載!

**場面ごとの観察ポイントを明示**

**観察ポイントごとに文例を掲載**

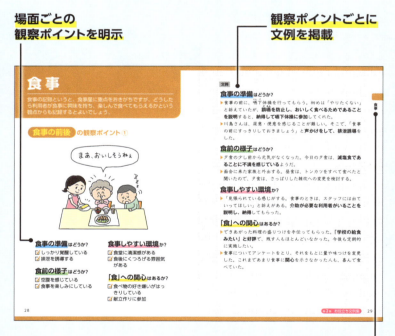

**分かりやすいインデックス表示**

## さっと引ける!

見たい場面がさっと引けるカラフルなインデックスで、忙しいときにも便利に使えます。

## 書き方のコツが分かる!

ケーススタディを使って「伝わる記録」のポイントを伝授!

**イラストでイメージしやすい**　　**伝わる記録のポイントが分かる**

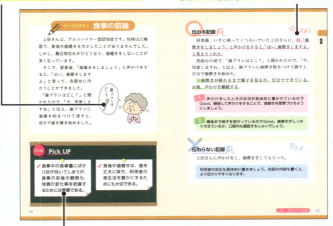

どの部分をピックアップすべきかを解説

## 介護記録に役立つ資料が充実!(P183〜P198)

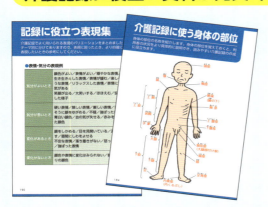

- イラストでわかる身体の部位・体位、福祉用具の名称。
- 記録に役立つ表現集等、もっと伝わる記録のための資料も満載です。

本書は『介護職従事者必携!3訂版 もっと伝わる文例たっぷり 介護記録 書き方ハンドブック』を改訂増補したものです。

# 目 次

この本の使い方 ……………………………………… 2
目　次 ……………………………………………… 4

## 第1章 介護記録の基本

介護記録の社会的役割 ……………………………… 8
介護記録の主な目的 ………………………………… 10
介護記録の種類 ……………………………………… 12
介護記録7つのポイント …………………………… 20
記録時に気をつけること …………………………… 24

## 第2章 お役立ち文例集

### 食事

- ▶食事の前後 ……………………………………… 28
- ▶食事中 …………………………………………… 34
- ▶吐いたとき等 …………………………………… 40
- ▶食事拒否 ………………………………………… 44

### 入浴

- ▶入浴前 …………………………………………… 48
- ▶衣服の着脱から浴室移動 ……………………… 52
- ▶入浴中・入浴後 ………………………………… 58

- ▶ 清　拭 ……… 64

## 排泄
- ▶ トイレへの誘導 ……… 68
- ▶ おむつ交換 ……… 74
- ▶ 下痢・便秘 ……… 78
- ▶ 失禁への対処 ……… 82

## 整容・更衣
- ▶ 整　容 ……… 88
- ▶ 更　衣 ……… 92

## 移動・移乗
- ▶ 移　動 ……… 98
- ▶ 移　乗 ……… 104

## 口腔ケア
- ▶ 口腔ケア ……… 108
- ▶ 口腔トレーニング ……… 112

## 与薬 ……… 116

## 認知障害・行動障害
- ▶ 認知障害 ……… 120
- ▶ 行動障害 ……… 124

## 体調・気分の変化 ……… 128

## 余暇と余暇活動
- ▶ やすらぎ中 ……… 132

- ▶ レクリエーション ―― 136
- 送迎 ―― 140
- 起床 ―― 144
- 夜間・睡眠 ―― 148
- 感染予防
  - ▶ インフルエンザ ―― 154
  - ▶ ノロウイルス ―― 158
  - ▶ O157 ―― 162
- ターミナルケア ―― 166
- トラブル
  - ▶ ヒヤリ・ハット事例 ―― 170
  - ▶ トラブル ―― 174
  - ▶ 事故報告 ―― 178

コラム　個人情報保護について ―― 182

## 付　録

- 介護記録に使う身体の部位 ―― 184
- 介護記録に使う体位 ―― 186
- 介護記録に使う福祉用具 ―― 188
- 記録に役立つ表現集 ―― 190

# 第1章

# 介護記録の基本

- ◆ 介護記録の社会的役割
- ◆ 介護記録の主な目的
- ◆ 介護記録の種類
- ◆ 介護記録7つのポイント
- ◆ 記録時に気をつけること

# 介護記録の社会的役割

なぜ介護記録を書くのでしょうか。介護記録の書き方を学習する前に、介護保険制度のもとで、介護記録がどのような役割を果たしているかを再確認しておきましょう。

　2000（平成12）年に**介護保険制度**がスタートして以降、利用者が主体的にサービスの種類や事業者を選んで利用したり、**ケアプラン**を作って医療・福祉のサービスを総合的に利用したりできるようになりました。これに伴い、介護記録が担う社会的役割も、今まで以上に重要になってきています。

### ❶ サービス向上のための基礎資料

　より質の高いサービスを提供し、利用者の **QOL**（Quality of Life）を高めるためには、**利用者の生活習慣や考え方**にも配慮してケアを行う必要があります。

　その点、介護記録は、利用者ごとの身体状況から精神状況まで記録されており、質の高い介護サービスのための基礎資料として重要な役割を果たしています。

## 2 サービス提供の証

　介護保険制度のもとでは、介護サービスは「**利用者と事業者間の契約**」と考えられ、介護記録も、利用者に対して計画内容（ケアプラン）に基づいた介護サービスを提供した証という役割を担うようになりました。

　また、介護サービスをめぐるトラブルや事故が発生した場合、証拠書類としても用いられています。

## 3 コンプライアンス（法令遵守）

　介護保険制度により受けられる介護サービスは、被保険者が支払う**介護保険料**と、利用者が支払う**介護サービス利用料**を財源とする公的なサービスです。

　したがって、事業者は、適切な介護サービスを行っていること、厳格な運営基準を満たしていることを評価機関・利用者等に証明・公表していかなければなりません。その基礎資料となるのが介護記録です。

# 介護記録の主な目的

介護記録が「記録」である以上、介護を行った事実を残しておくことが大切です。しかし、介護現場では他にも重要な目的があります。ここでおさらいしておきましょう。

### 1 見直し・検証の材料

利用者に対する介護内容を正確に「**記録**」として残しておきましょう。

それにより、提供したサービスが、利用者にとって適切だったかどうかの**見直し・検証**の材料になります。

### 2 情報の共有

介護記録の記載内容によって、スタッフ間で利用者の**情報を共有**することができれば、それをもとに、利用者への介護を**組織的**かつ**継続的**に行うことができるようになります。

### 3 家族への情報開示

利用者の家族は、利用者が介護施設等でどのような介護サービスを受けているのか不安に思っています。

そこで、利用者の家族にも、介護記録を見て介護サービスの内容を知ってもらえば、その不安を取り除いて、**信頼関係**を築くことができます。

## ❤4 ケアプランへの反映

　介護記録を書くことを通じて、利用者の**意向**や**課題**を把握できるので、利用者にとってのよりよいケアプランの作成・修正につなげることができます。

## ❤5 リスクマネジメント

　介護事故やトラブル等が発生した際、介護記録があれば、その当時、担当スタッフがどのようなサービスを行ったのかを**証明**することができます。

## ❤6 利用者の思い出

　介護行為は、介護スタッフと利用者のかかわり合いの中で行われます。その際、楽しい出来事も記録しておけば「**生活の証**」として読み返すことができます。

# 介護記録の種類

ひとくちに介護記録といっても、介護事業の形態・種別により様々な書式が存在しています。ここでは、介護施設における記録を中心に、その役割と書き方を説明します。

## 1 ケアプラン

利用者と事業者の間で**取り決めた**（契約した）**ケアの内容**をまとめたものです。利用者とその家族から解決すべき課題を聴き、**総合的な援助方針**を決定します。

| 第2表 | | | 施設サービス計画書（2） | |
|---|---|---|---|---|
| 利用者名　　田中　健一　様 | | | | |
| 生活全般の解決すべき課題（ニーズ） | 援助目標 | | | |
| | 長期目標 | 期間 | 短期目標 | 期間 |
| 安心して自分らしい生活を送りたい | 安心・安定した日常生活を送る | 4/1 ～9/30 | 必要なときに自分でトイレに行き排泄することができる | 4/1 ～6/30 |

この決定に基づき、**長期目標**（将来どうなりたいのか）と**短期目標**（具体的な目標。まず実施すること）を分かりやすく記載していくことが重要なポイントです。

作成年月日　　令和○年△月□日

| 援助内容 | | | |
|---|---|---|---|
| サービス内容 | 担当者 | 頻度 | 期間 |
| ・ソワソワする、何かを探している等、尿意や便意を示すしぐさ（サイン）がないか観察する | 介護職 | 随時 | 4/1〜6/30 |
| ・誘導の際は、介護職が一人で対応し、静かな落ち着いた口調で「何かお探しですか」等と声をかけて、「トイレを探している」という返答がしやすい状況を作り、無理な誘導は避ける | | トイレ誘導時 | |
| ・すでに失禁している場合は、介護職が「何かお困りのことはないですか」等と声をかけて、衣類が汚れている状況に気づけるようにする | | 失禁時 | |
| ・更衣の介助をする際は、介護職が一人で対応し、新しい衣類を準備しておく。 | | 更衣介助時 | |

## 2 フェイスシート

利用者の身体状況・家族構成等の情報を記載したものです。なかでも、**家族構成図**や**特徴及び身体状況**は、今後の介護に役立つ重要な情報です。

### フェイスシート

令和□年○月△日

| 本人情報 | フリガナ　タナカ　ケンジ | | 性別 | 生年 | 明治・大正・昭和・平成 |
|---|---|---|---|---|---|
| | 氏名　田中　健二 | | 男 | 月日 | 年　月　日（　　才） |
| | 住所 | | | 電話 | |
| 緊急連絡先 | 氏名 | | | 電話 | |
| | 住所 | | | 続柄 | |
| 介護認定 | 非該当・要支援1・要支援2・介護1・介護2・介護3・介護4・介護5 | | | | |
| 日常生活自立度 | 寝たきり | 正常・J1・J2・A1・A2・B1・B2・C1・C2 | | 判定日 | 年　月 |
| | 認知症 | 正常・Ⅰ・Ⅱa・Ⅱb・Ⅲa・Ⅲb・Ⅳ・M | | 判定日 | 年　月 |

**家族構成図**

```
           ■幸一=●陽子
        ┌─────┼─────┐
    ■雄一  ◎健二 = 康子   ○恵子
    （兄）       （妻）    （妹）
              │
         □大地 = ○美紀
         （長男）
```

女性=○　男性=□
本人=◎
死亡=●、■　同居=:::で囲む

**本人の生活歴**

G県生まれ。同県A市の工業高校卒業後、「○○工務店株式会社」にとび職として勤務。定年まで40年以上勤務していた。

同工務店を退職後は、趣味の盆栽いじりや釣りをして過ごしている。5年前から息子夫婦と同居。

| 氏名 | 続柄 | 同居別 | 連絡先（TEL） |
|---|---|---|---|
| | | | |
| | | | |

**特徴及び身体状況**

・他者とのかかわりは好まない。職人気質

・記憶障害、失認、理解・判断力の低下がある

・日常生活の中で失禁がみられるようになる

・先月、買い物時に道に迷って帰宅できず、警察に保護

・○○総合病院を受診し、アルツハイマー型認知症と診断される

・衣類が汚れても、自分で着替えができず、介助を要する状態である

## ❤3 業務日誌

「業務記録」とも呼ばれ、日々の介護業務の内容を記録するものです。**今後の介護サービスの内容**を検討したり、**ケアプランの目標を変更**したりする資料となるので、正確に記入しましょう。

| 業務日誌 | 令和□年 ○月△日（ ） | | 施設長 ㊞ | 生活相談 ㊞ | 介護主任 ㊞ | 記録者 ㊞ |
|---|---|---|---|---|---|---|

| 利用者状況 ||||||
|---|---|---|---|---|---|
| | 男性 | 女性 | 計 | 特記事項 ||
| 在籍者 | | | | 秋田さんのご紹介で、鈴木さんが入所された。秋田さんと鈴木さんは、小学校時代の同級生とのこと。 ||
| 外泊者 | | | | |||
| 退所者 | | | | |||
| ショートステイ | | | | |||
| 入院者 | | | | |||
| 計 | | | | |||

| 今日の出来事・来訪者 |
|---|
| 田中さんの息子夫婦の大地さんと美紀さんが、面会のため来所された。 |

| 介護の状況・申し送り事項 |||
|---|---|---|
| 氏名 | 時刻 | 内容 |
| 鈴木　よし子 | 10：00 | 降車時、「足が痛む」と訴えてきた。「どうかされましたか」と聞いたところ、「車が揺れたときに足がぶつかった」とのこと。送迎車の運転状況を確認する必要あり。 |
| 田中　健二 | 11：30 | 「お体を拭きましょう」と声かけをしたが、返事もなくいすに座ったままであった。「今日の午後は、息子さんご夫婦が面会に来ますよ」と話したら、「おぉ、そうだった」と言って、清拭に応じてくれた。 |

| 職員・年次・出張・その他 |
|---|
| |

第1章　介護記録の基本

## ❤4 ケース記録

ケース記録は、利用者個人の生活状況や活動状況、その他の変化等を**時系列**に沿って、随時記録していくものです。

具体的には、入浴や外出等の日常的な行動から、**行事**や**レクリエーション**等の特別なイベントまで幅広い範囲の出来事を記入していきます。

ケース記録

利用者名　　柿崎　哲也　様

| 月日 | 時刻 | 内容 | 記録者 |
|---|---|---|---|
| △月□日 | 外出前 10:30 | 今日は杖を使用していないので、理由を尋ねると「杖が長くて使いづらい」とのこと。身長に合わせて杖の長さを調節した。 | 柳沢浩 |
|  | 外出時 11:00 | 6日ぶりに公園へ散歩に出かけた。とても気持ちよさそうに歩いていた。今日は気温が高いので、脱水症状を起こさないように、水分補給をしながら、日陰で休息をとった。 | 柳沢浩 |

## 5 食事記録

利用者が朝食・昼食・夕食に食べた量を記録します。施設によっては「**10／6**」（主食／副食）の 10 段階表記（完食が 10）や「○△×」の記号等で表記します。

## 6 水分摂取記録

利用者が水分摂取した量、種類、時間を記録します。施設によっては「**お茶 10（ml）**」のように種類・量で表記したり、「○」の記号で表記したりします。また、1 日の合計摂取量を記録することもあります。

### 【食事・水分摂取記録の一例】

| 日付 | △月10日 | | | △月11日 | | | △月12日 | | |
|---|---|---|---|---|---|---|---|---|---|
| | 朝 | 昼 | 晩 | 朝 | 昼 | 晩 | 朝 | 昼 | 晩 |
| 主食 | 8 | 10 | 10 | 8 | 10 | 10 | 6 | 8 | 10 |
| 副食 | 6 | 10 | 8 | 8 | 9 | 10 | 5 | 8 | 10 |
| 水分摂取量 | 1200 | | | 1100 | | | 1200 | | |

## ❤7 排泄記録

利用者が排泄をした時間、量、**どんな尿・便**かを記録します。利用者に下剤や浣腸等を行う際、そのタイミングをはかる目安になります。

**【排泄記録の一例】**

| 日付 | 時間 | 自主的 | 誘導 | 尿 | | 便 | | 特記 |
| --- | --- | --- | --- | --- | --- | --- | --- | --- |
| | | | | 排尿 | 失禁 | 排便 | 失禁 | |
| △月10日 | 2:30 | ○ | | ○ | | | | |
| | 9:15 | | ○ | ○ | | ○少 | | コロコロ便 |
| | 12:05 | ○ | | ○ | | ○少 | | コロコロ便 |
| | 19:20 | ○ | | ○ | | ○少 | | コロコロ便 |
| | 21:45 | ○ | | ○ | | | | |
| | 23:10 | ○ | | ○ | | | | |
| △月11日 | 3:05 | ○ | | ○ | | | | |
| | 6:40 | | | ○ | ○ | | | |
| | 11:00 | ○ | | ○ | | | | |
| | 19:45 | | ○ | ○ | | | | 下剤を服用 |
| | 22:10 | ○ | | ○ | | | | |
| △月12日 | 1:30 | ○ | | ○ | | | | |
| | 6:15 | ○ | | ○ | | ○多 | | コロコロ便、軟かい便 |

## ❤8 バイタル記録

利用者の**体温・血圧・脈拍**と計測時間を記録します。

## ❤9 ヒヤリ・ハット、事故報告書

介護事故が起こりそうになり「**ヒヤリ**」「**ハット**」した場合や、**事故**が発生した場合に、その**発生状況**や**原因**、**今後の対策**等を報告書にしてまとめたものです。

## 10 介護観察記録表

　すべての介護サービスの情報を**月単位**で確認できるようにまとめた一覧表のことです。

## 11 連絡(申し送り)ノート

　口頭での**伝達ミス**を防止するため、**介護スタッフ間**で伝えておくべき事項があるときに用いられます。

# 介護記録7つのポイント

ここでは、よりよい介護記録を書くために必要な7つのポイントを紹介します。介護記録の書き方に悩んでいる方は、これらのポイントを意識して書いてみましょう。

## ❤ 1 客観的事実を書こう!

介護記録の内容は、**客観的事実である**「**見たこと、言ったこと、聞いたこと**」等を中心に作成されなければなりません。そのためには、日頃から**五感をフル活用**して、しっかりと利用者を観察することが重要です。

**観察ポイト**

- ・顔の表情・目線
- ・姿勢
- ・服装
- ・会話の内容
- ・ジェスチャー
- ・音
- ・臭い　etc.

※顔の表情や声のトーンから、精神状態も推測することができる

## ❤ 2 他のスタッフに伝わる文章に

介護記録を書く際には、他のスタッフが閲覧することを意識して、**簡潔で読みやすく、伝わりやすい文章**を書くよう心がけましょう。もし、スタッフ間における**情報の引き継ぎ**が正確にできていないと、**ケアの継続性・統一性**が確保できなくなってしまいます。

また、ケアの継続性という観点から、**前のスタッフが書いた記録**をしっかり確認することも大切です。

## 3 必要な情報を整理しよう!

必要な情報を整理するコツは2つあります。

### ①体調・食事・排便等の基本情報は、チェック欄で

「**基本情報はチェック欄、より詳細な情報は介護記録欄**」と使い分ければ、素早く整理できます。

【チェック欄の例】

| 体調 | 良好・(普通)・不調 | 食欲<br>排便 | あり・(普通)・なし<br>(あり)・なし |
|---|---|---|---|

### ②ケアプランの長期目標についての情報を優先

**ケアプランの長期目標**は、**利用者との契約上の約束**でもあります。どの程度目標を達成できたか、目標の変更は必要か等の情報は優先順位が高くなります。介護記録も長期目標をふまえて書くようにするとよいでしょう。

## 4 介護行為も記録しよう!

介護記録には、客観的事実だけでなく、**自分が行った介護行為**も記載する必要があります。その際、次のケアに役立つ情報や提案等も記録するとよいでしょう。

また、介護行為に対する**利用者の反応**(不満・変化等)も忘れずに記録しておきましょう。もし、利用者が不満に感じているようなら、その**原因**、**今後の解決方法**等まで記載しておく必要があります。

## ❤5 ポジティブな視点で書こう!

　毎日介護をしていると、利用者の病気や障害の部分に気をとられて、介護記録に「**あれもできない、これもできない**」と書いてしまいがちです。

　しかし、介護は、本来、利用者の自立支援を基本理念としています。利用者のマイナス面ばかり注視しないで、「**あれができる、これができる**」という ポジティブな視点 や 発想 を持ちましょう。そうすれば、現在、利用者本人ができることだけでなく、これからできること（**可能性**）にも目を向けられるようになります。

　観察により得られる情報が変わってくれば、介護記録やケアプランも、よりよいものになるでしょう。

## ❤6 介護記録は「利用者の生活の証」

　介護記録は、スタッフにとっては「支援の証」であり、利用者にとっては「生活の証」です。あなたの書いた記録は、排泄やバイタルサイン等、身体状況に関する記述ばかりになっていませんか。

　介護スタッフは、日常の介護を通じて、利用者と同じ経験を共有しているのですから、利用者がどんなことに興味があり、何に対して不安があるのか等、**精神的な部分**についての記述も忘れないようにしましょう。

## ❤7 記録する時間を確保しよう!

　介護記録を書こうと思っても、なかなか時間がとれないという方は多いのではないでしょうか。しかし、よりよい介護記録を作成するには、やはり記録作成に専念する時間を確保することが必要です。

　まずは、業務の終わりに30分程度、介護記録を書く時間を確保してみましょう。ただ、せっかく時間を確保しても、介護内容を思い出すために、時間をとられているようではいけません。すぐに思

い出せるよう、その日の介護内容はその都度**メモ**しておくとよいでしょう。

　毎日毎日、繰り返し介護記録を書くのはとても大変な作業ですが、記録を残しておくことは、事故やトラブルが発生した場合に備えるためだけでなく、**利用者への情報開示**の観点からも、非常に大切です。

# 記録時に気をつけること

ここでは、介護記録を書く際、気をつけなければならないことを挙げています。自分の書いた介護記録が正確に伝わるものかどうか、この機会に見直してみましょう。

### ❤ 1 正確に伝わる文章にする

　介護記録は、情報の共有を目的としたものです。他のスタッフが読んだときに、その内容が正確に伝わらなくては意味がありません。

　記録内容から情報を分かりやすく、漏れなく伝えるためには、「**いつ・どこで・誰が・何を・なぜ・どのように**」という要素（**5W1H**）を整理し、書き漏らさないことが大切です。

　また、数、量、時間、頻度等を記入する際は、「**すごく**」「**かなり**」「**ときどき**」等あいまいな表現は避け、できる限り具体的な数値等を用いましょう。

### ❤ 2 誤字・脱字に気をつける

　介護記録に誤字・脱字が多いと、誤った情報として伝わり、トラブルの原因となる恐れがあります。

　また、正確で読みやすい介護記録は、記録を読む利用者やその家族の不安の解消にもつながります。

　記録を書き終えたら、必ず**読み直し**を行いましょう。

　なお、改ざん防止のため、介護記録は**ボールペン**（容易に消せないもの）や**万年筆**等で記入し、誤字・脱字を訂正する場合は、訂正する文字の上に**2本線**を引くようにします。

## ❸ むやみに略語・専門用語を使わない

　自分独自の略語は、スタッフ間の情報伝達を不正確にする恐れがあります。また、専門用語は、利用者等がその意味を理解できないこともあります。

　したがって、略語・専門用語の使用は、**効率化に必要な最低限度に**すべきです。その際、施設内等で共通のマニュアルを作成し、明文化しておくとよいでしょう。

## ❹ 過剰に敬語を使わない

　介護記録は、敬語を使ったほうがよい場合もありますが、どんな場面でも、というものでもありません。

　例えば、会話は、**カギカッコ**にしてそのまま引用したほうがよいでしょう。このほか、スタッフ間の連絡事項や観察内容等は**「である」調**でもかまいません。

　大事なことは、形式的に敬語を使うことではなく、利用者を敬う気持ちから出た表現を使うことです。

## 5 疑われる書き方をしない

　記録が読みやすくなるよう行間を空ける方がいるかもしれませんが、後からの書き込みによる**改ざんを防止**するため、行間は空けないようにしましょう。

　空欄や空白部分ができてしまう場合には、「〆」や**斜線**を引いておきましょう。

　また、重要な事項を書き忘れて**加筆**する行為や、スペースに収まるよう**小さな文字**で無理やり書き込む行為も、「改ざんしているのではないか」と誤認される恐れがあるので、注意しましょう。

　このような場合は、**別紙**を用意し、「**○月×日加筆分**」と明記したうえで、もとの記録が見えるよう重ねて貼り付けるようにします。

# お役立ち文例集

- ◆ 食　事
- ◆ 入　浴
- ◆ 排　泄
- ◆ 整容・更衣
- ◆ 移動・移乗
- ◆ 口腔ケア
- ◆ 与　薬
- ◆ 認知障害・行動障害
- ◆ 体調・気分の変化
- ◆ 余暇と余暇活動
- ◆ 送　迎
- ◆ 起　床
- ◆ 夜間・睡眠
- ◆ 感染予防
- ◆ ターミナルケア
- ◆ トラブル

# 食事

食事の記録というと、食事量に重点をおきがちですが、どうしたら利用者が食事に興味を持ち、楽しんで食べてもらえるかという観点からも記録するとよいでしょう。

## 食事の前後 の観察ポイント①

### 食事の準備はどうか?
- ☑ しっかり覚醒している
- ☑ 排泄を誘導する

### 食前の様子はどうか?
- ☑ 空腹を感じている
- ☑ 食事を楽しみにしている

### 食事しやすい環境か?
- ☑ 食堂に清潔感がある
- ☑ 食後にくつろげる雰囲気がある

### 「食」への関心はあるか?
- ☑ 食べ物の好き嫌いがはっきりしている
- ☑ 献立作りに参加

文例

## 食事の準備はどうか？

▶ 食事の前に、嚥下体操を行ってもらう。初めは「やりたくない」と訴えていたが、**誤嚥を防止し、おいしく食べるためであることを説明する**と、**納得して嚥下体操に参加**してくれた。
▶ 川島さんは、尿意・便意を感じることが難しい。そこで、「食事の前にすっきりしておきましょう」と**声かけをして、排泄誘導**をした。

## 食前の様子はどうか？

▶ 夕食の少し前から元気がなくなった。今日の夕食は、**減塩食であることに不満を感じている**ようだ。
▶ 面会に来た家族と外出する。昼食は、トンカツをすべて食べたと聞いたので、夕食は、さっぱりした雑炊への変更を検討する。

## 食事しやすい環境か？

▶ 「見張られている感じがする。食事のときは、スタッフには出ていってほしい」と訴えがある。**介助が必要な利用者がいることを説明し、納得してもらった**。

## 「食」への関心はあるか？

▶ できあがった料理の盛りつけを手伝ってもらった。**「学校の給食みたい」と好評**で、残す人もほとんどいなかった。今後も定期的に実施したい。
▶ 食事についてアンケートをとり、それをもとに量や味つけを変更した。これまであまり食事に**関心**を示さなかった人も、喜んで食べていた。

## 食事の前後 の観察ポイント ②

### 食後の様子 はどうか?

☑ 満腹感がある
☑ 下痢等の症状がある

+α 直接訴えがない場合でも、観察によって気づいたことがあれば記録する

### 食後のケア はどうか?

☑ 歯磨きをする
☑ 食休みをとる

+α 食休みをとる場合、利用者がすぐ横にならないよう、いす等に座ってもらうとよい

### 服薬の管理は できているか?

☑ 服薬は食前か食後か
☑ 食事への影響がある

+α 自分で薬を飲める利用者に対しても、薬を飲み終わるまでしっかり見守るようにする

文例

## 食後の様子はどうか？

▶ **油っこいものを食べた後はだるそう**なことが多い。加齢で消化能力が低下していることが原因と思われる。メニュー変更を検討する。

▶ 今日の夕食は、大好物のお刺身だった。食事が終わった後も、「おいしかった〜」と**満足そう**にしていた。

▶ 夜になって「お腹が空いた」と言う。本人の強い希望もあって、おにぎりを1つ用意したが、**最近食べすぎている**。肥満防止のため適度な運動を検討する。

## 食後のケアはどうか？

▶ 夕食後しばらくしても、歯を磨いてくれない。「虫歯になりますよ」と言うと、**「かまわない」と言って拒否**する。対策を検討する。

▶ 昼食を食べ終わって**5分程で、もう外出しようとしている**。まだ胃の中の食物が消化されていないことを説明し、少なくとも食後10分〜20分程度、安静にしてくださいとお願いした。

## 服薬の管理はできているか？

▶ 夕食後、「お薬を飲みましょう」と声かけをすると、「お腹がいっぱいだから薬は飲まない」と拒む。**お腹をさすり、苦しそう**な様子。服薬のことも考慮して、食事量を栄養士等と相談する必要がある。

▶ 「食事の前に薬を飲むと、口の中が苦くなって、食べる気が失せる」と訴えがある。医師に相談して、今日の夕食から、**食後に飲む薬に変更**してもらったところ、**食欲が回復したようで本人もうれしそう**だった。

▶ 食堂で、食事の後片付けをしていると、テーブルの下に中身の入った**薬袋が落ちているのを見つけた**。薬を飲んでいない利用者がいるはずなので、他のスタッフと確認をして回った。幸い、**薬を飲んでいない河合さんを特定できた。食後30分以内**であったため、飲んでもらった。

## ケーススタディ 食事の前後

　上田さんは、アルツハイマー型認知症です。性格は几帳面で、食後の歯磨きを欠かしたことがありませんでした。しかし、最近物忘れがひどくなり、歯磨きをしないことが多くなっています。

　そこで、昼食後、「歯磨きをしましょう」と声かけをすると、「はい、歯磨きしますよ」と言って、洗面台に向かうことができました。

　「歯ブラシはどこ？」と聞かれたので、「今、用意しますね」と伝え、歯ブラシに歯磨き粉をつけて渡すと、自分で歯を磨き始めました。

### ここを Pick UP

- ✔ 食事中の食事量にばかり目が向いてしまうが、食事の前後の観察も、体調の変化等を把握するためには重要である。

- ✔ 食後の歯磨きは、歯を丈夫に保ち、利用者の食生活を豊かにするためにも大切である。

## 伝わる記録 　Good!

　昼食後、いすに座ってくつろいでいた上田さんに、❶「歯磨きをしましょう」と声かけをすると、「はい、歯磨きしますよ」と答えてくれた。

　洗面台の前で、「歯ブラシはどこ？」と聞かれたので、「今、用意しますね」と伝え、歯ブラシに歯磨き粉をつけて渡すと、自分で歯磨きを始めた。

　❷歯磨きが終わるまで様子を見るが、自分でできている。以後、声かけを継続する。

> **1** 声かけをしたときの状況が具体的に書かれているのでGood。継続して声かけをすることで、歯磨きを習慣づけるようにしましょう。

> **2** 最後まで様子を見守っているのでGood。歯磨きがしっかりできているか、口腔内も確認するとよいでしょう。

## 伝わらない記録　Bad...

上田さんに声かけをし、歯磨きをしてもらった。

> 利用者の反応も具体的に書きましょう。会話の内容も書くと、より伝わりやすくなります。

# 食事中 の観察ポイント①

### 姿勢 はどうか?
- ☑ 両足が床についている
- ☑ ふらついている

**+α** 両足底接地、姿勢保持、軽くうなずいた角度の3点が揃った状態が食事に適した姿勢

### 摂取量 はどうか?
- ☑ 十分な量がとれていない
- ☑ 食べすぎている

**+α** いつもと摂取量が異なる場合は、本人に理由を尋ねる等して詳細を記録しておく

### 食べ方 はどうか?
- ☑ 楽しそうに食べる
- ☑ 食事時間が長い

**+α** 食事の様子で体調・気分の変化に気づくこともあるので、しっかり観察・記録しておく

文例

## 姿勢はどうか?

▶ 大村さんは、昨日と異なり、**いすに深く腰掛けることができて**いた。**両足底も床につき、安定した状態で**、スプーンをうまく使って食事をしていた。

▶ 最近、筋力が弱っており、長時間座位を保持することが難しい。しばらくすると、**いすからずり落ちそう**になってしまう。

## 摂取量はどうか?

▶ 主食は 10/10、副食は 8/10、汁物 6/10、お茶 10/10。

### ➡ 別パターン

- 主食は 10 割、副食は 8 割、汁物 6 割、お茶 10 割。
- 主食は 100%、副食は 80%、汁物 60%、お茶 100%。
- 主食は全食、副食はほぼ全食(主菜 10・副菜 9・漬物 8)、汁物半分、お茶全量。

## 食べ方はどうか?

▶ ご飯を口に運んではいるが、**心ここにあらず**の様子。「どうかしましたか」と声かけをすると、「何でもありません」と言う。経過を観察する。

▶ 今日は**いつもより食欲がある**。お肉も、ご飯もおいしそうに食べているが、**慌てて食べている**ので、「ゆっくり食べましょう」と声かけをする。

### ➡ 別パターン

- お魚も、ご飯もペロリとたいらげた。
- 頬張ってモグモグと食べた。
- 少量ずつ箸でつまんで、口に運び、咀嚼(そしゃく)する。
- ゆっくりと 30 分かけ、お肉、ご飯を食べる。

## 食事中 の観察ポイント②

### 食べ残しはないか?

- ☑ いつも同じ食べ物を残す
- ☑ かみづらい食べ物
  ⇒調理方法を変更

**+α** 食べ残した原因をしっかりと把握し、利用者に楽しく食べてもらえるような工夫が必要

### 介助は必要か?

- ☑ 箸等が正しく持てない
  ⇒自助具の検討
- ☑ 手が震える

**+α** 食事介助は横に座って行う。食べ物は、低い位置から口元へ運ぶようにする

### おやつは食べたか?

- ☑ 依存していないか
  ⇒肥満・脂質異常症の恐れ
- ☑ 栄養不足になっていないか

### 水分補給は十分か?

- ☑ 気温の上昇
  ⇒発汗量に注意
- ☑ 脱水症状の有無

文例

## 食べ残しはないか?

- 添え物の**ニンジンを全部残す**。以前は食べていたので「ニンジンは食べられませんか」と聞くと**「ゆでたものはダメなの」**と訴える。
- 食事があまり進まない。何度も箸を置いている。理由を尋ねると、**「味が濃すぎる」**と訴える。
- 義歯が合わず、**うまくかむことができない**様子。新しい義歯ができるまで、食事は、細かくきざんで出すことにした。

## 介助は必要か?

- 最近、**握力が弱ってきている**ので、箸をうまく使えない。今後は、スプーン等の使用について考えたい。
- 認知症があり、食事中、何度も席を立とうとする。「今はご飯の時間ですよ」と声かけをして、**食事の時間であることを意識して**もらう。
- **いつも口の中に食べ物が残ってしまう**ので、口を開けてもらい、食べ物が残っていないか確認する。

## おやつは食べたか?

- **おやつのとき以外も大好きなクッキーを食べてしまい**、食事量が減っている。栄養不足にならないよう、間食について説明をした。
- お菓子が好きで、**居室でよく食べている**。最近体重が3kgも増えたため、このままでは肥満の恐れがあることを告げ、お菓子の量を減らすことに同意してもらった。

## 水分補給は十分か?

- 「トイレが近くなる」と言って、**みそ汁を飲もうとしない**。栄養バランスが大切であることを話し、飲んでもらったが、排泄については経過観察が必要。
- なかなか水分をとらないので、和菓子と一緒にお茶を持っていき、「食べませんか」と勧めたところ、**お茶を150ml程**飲んでくれた。

## ケーススタディ 食事中

　岸田さんは、軽度の認知症があります。もともと少食傾向にありましたが、最近では特に食事や水分の摂取量が減っているために、体重が減少してきています。

　また、緑内障のために視野が狭まっており、食事の際は、目の前に食器を持ってきて、声かけをすることで、自分でゆっくりと食べることができています。しかし、極度の円背のため、顔が真下に向いてしまい、食べ物をうまく口に入れられないことがあるので、介助が必要な状態です。

### ここを Pick UP

- ✔ 食事量や水分量を具体的に書くとともに、どのような食べ方をしたのかしっかり観察することが必要である。

- ✔ 声かけをして勧めた場合の反応も、今後の介助方針の参考になるので記述しておくこと。

## 伝わる記録

岸田さんは、昼食時、ゼリーが食べにくそうだったので、「食べやすくしましょう」と声をかけてから一口大に切り分けた。そして、お皿を目の前に持っていき、「どうぞ」と声かけをすると、「甘くておいしい」と言って、ゼリーを食べてくれた。

ただ、食事量は少なく、❶主食2/10、副食6/10。また、❷真下を向いているので、鶏肉の照り焼きを口に入れにくそうな様子がみられた。

**1** 食事量が具体的に書かれているのでGood。水分補給は重要なので、汁物の量も記載してあるとよりよい記録になります。

**2** 鶏肉の照り焼きが食べづらいことが書かれているのでGood。今後は、口に入れやすい形状や調理方法等も工夫してみましょう。

## 伝わらない記録

主食2/10、副食6/10。ゼリーは全量。

食事量だけでなく、食事中の様子も具体的に書くようにしましょう。その際、食べられないものや食べづらいものがあるか、あればその理由が分かるようにしておきましょう。

## 吐いたとき等 の観察ポイント

### どのような状況か？

- ☑ 吐いてしまった
- ☑ のどに詰まらせた

+α 誤嚥等防止のため、食べ物を口に溜め込んでいないか、しっかり飲み込んでいるか観察する

### 何を食べたのか？

- ☑ 嘔吐物
  ⇒形状・色・臭い
- ☑ 固形物、汁物・お茶

+α 嘔吐物が黒い場合は、内臓から出血している恐れがある。医療職に連絡する

### その後の処置は適切か？

- ☑ 口の中に残っていないか確認
- ☑ 口の中に手を入れ、取り出す

+α のどに詰まったときは、背中をたたいたり、上腹部を圧迫したりして、できるだけ早く吐き出させる

**文例**

## どのような状況か?

- 食事中、「気持ち悪い」と言って、**急に立ち上がり**、トイレに駆け込んだ。後を追いかけると、トイレの**便器に嘔吐していた**。
- **みそ汁を飲んだ直後**、突然ゴホッ、ゴホッと**激しくむせた**。その後は、落ち着いて食事に戻っていた。
- 食事中、**突然苦しみ出し**、いすからずり落ちた。「どうしましたか」と声かけをするが、**口からヒュー、ヒューと呼吸音がした**。

## 何を食べたのか?

- 食事中、「うっ」と言って、何か吐き出した。嘔吐物を観察すると、**薄いピンクでドロドロした形状**をしていた。食事の初めに食べたマグロの刺身のようだ。

  ➡ **別パターン**
  - 血が混ざったような赤黒い塊であった。
  - 薄い黄色で、酸っぱい臭いのする液状であった。

- おやつの団子をのどに詰まらせた。口から取り出すと、**ほとんど咀嚼されていない**団子が出てきた。

## その後の処置は適切か?

- 食事中、食べていた煮物の大根を空いた皿の上に吐き出した。まだ、**気持ち悪そうにしている**ので、背中をさすり、口の中に残っていたものも全部吐き出してもらった。
- 食事中、**苦しそうにのどを押さえるしぐさ**をする。口腔内を確認すると、のどに何かが詰まっている。背中をたたいて、なんとか吐き出してもらった。煮物のこんにゃくだった。医療職に連絡する。

## ケーススタディ 吐いたとき等

　村井さんは、長期間、パーキンソン病の薬を服用しているために、吐き気や食欲不振等の症状がみられることがあります。

　この日も、箸をうまく使って筑前煮を食べていましたが、急に苦しそうな顔をして、食べたものを皿に吐き出してしまいました。

　嘔吐物は、かみきれていないタケノコでした。「大丈夫ですか」と声かけをすると、「大丈夫、大丈夫」と答えます。まずは、うがいをしてもらい、すぐに看護師に連絡して、診てもらいました。

### ここを Pick UP

- ✔ 今回のように、薬の服用が吐き気の原因になることもある。普段から利用者の様子を観察し記録しておくことが、原因究明に役立つ。

- ✔ 嘔吐物の内容を記録しておくことは、今後の食事のメニューを考えるうえで必要になる。しっかり観察し、具体的に記録しておく。

## 伝わる記録 Good!

村井さんは、❶食事中、急に苦しそうな顔をし、かみきれていないタケノコを皿に吐き出した。

「大丈夫ですか」と声かけをすると、「大丈夫、大丈夫」と返答がある。口の中をきれいにするため、うがいをしてもらう。同時に、看護師に連絡し、状態を診てもらう。幸い、大事には至らなかった。

❷村井さんに話を聞くと、「筑前煮が硬かった」と言う。今後は、メニューの変更も検討する。

> **1** 吐き出したときの状況が詳細に書かれているのでGood。嘔吐物の形状もしっかり記録するようにしましょう。

> **2** 原因について書かれているのでGood。自分だけで判断せず、必ず利用者にも話を聞いておきましょう。

## ✗ 伝わらない記録 Bad...

村井さんは、食事中、タケノコを吐き出した。

> 吐き出したときの様子を具体的に書きましょう。原因究明やその後の対策を立てるために必要です。

## 食事拒否 の観察ポイント

### 何が原因か？

- ☑ 食事自体に関心がない
- ☑ 食事のメニューに不満がある

+α 食事拒否の理由を話してくれないことも多い。介護記録を参考にして、原因を見つけることも必要

### 利用者の体調はどうか？

- ☑ 体重が減っている
- ☑ ほぼ寝たきりの状態になっている

### どんな対策をとっているか？

- ☑ リラックスできる食事環境
- ☑ 明るい笑顔での声かけ

+α 声をかけること等により、食べる意識や食事への意欲を持ってもらうことが必要

文例

## 何が原因か?

▶ 食事の時間なので、迎えに行くと、「食事はしたくない！」と言い張って、興奮している。しばらく時間をおいてから理由を聞くと、**「声かけが多すぎる。もっと自分のペースで食べたい」**と訴える。

▶ ここ2日間、食欲がない。理由を聞いても、黙ったまま答えてくれない。先日、箸がうまく使えず、ポロポロとおかずを落とし、**とても恥ずかしそう**にしていた。うまく食べられないことにショックを受けていると考えられる。

## 利用者の体調はどうか?

▶ 食事拒否が続いている。ただ、**おやつはしっかり食べている**ので、今のところ体調はよい。しかし、理由が不明なので、家族に相談することも検討する。

▶ 食事拒否の影響から**体重が3kgほど落ちている**。水だけは飲んでくれるが、食事だけでなく、**大好物のバナナも食べなかった**。カンファレンスで対策を検討する。

## どんな対策をとっているか?

▶ おやつの時間に、お菓子を持って居室に行く。何気なく、テーブルの上にお菓子を置いて、世間話を始める。趣味の絵手紙の話で盛り上がっている途中、自分からお菓子を食べてくれた。

▶ 他の利用者より**食事のペースが遅いことを気にしていた**ので、今日は、人目につきづらい食堂のすみのテーブルに誘導した。安心したのか、自分のペースで全部食べてくれた。最近、食事を拒否していたが、その原因を解明できて、本当によかった。

## ケーススタディ 食事拒否

堀川さんは、最近、食事を拒否するようになり、スタッフにも、「もう年だから食べられない」とか、「他の人が食べているのを見ているだけで十分よ」と話しています。

ある日、散歩中に料理の話が出たとき、堀川さんが「若い頃は、よくコロッケを作って、近所の人たちに配ったのよ」と話してくれたので、「今度コロッケを作ったら味見してもらえますか」と聞いてみました。すると「いいわよ。味見するのが楽しみだわ」と快諾してくれました。

### ここを Pick UP

- ✔ 食事への関心や意欲がなくなることが、食事拒否の原因のひとつである。まずは、食事への関心を取り戻すきっかけが必要になる。

- ✔ 誰でも、食べ物に関する思い出はある。本人から聞き出すだけでなく、家族等にも協力してもらう。

## 伝わる記録

堀川さんは、最近、食事を拒否するようになり、「もう年だから食べられない」等と言っている。

散歩時、❶若い頃、よくコロッケを作ってご近所に配っていたという話を聞き、「今度コロッケを作ったら味見してもらえますか」と聞いてみた。すると、堀川さんは「いいわよ。味見するのが楽しみだわ」と快諾してくれた。❷このことが、食事拒否を改善するきっかけになればと思う。

> **1** 食事に関する思い出をうまく聞き出しているのでGood。「コロッケ作り→味見をする」というように、話を発展させてみましょう。

> **2** 食事への関心を呼び起こそうとしているのでGood。普段から意識しておき、きっかけを逃さないようにしましょう。

## 伝わらない記録

堀川さんは、最近、食事を拒否するようになった。本人は、年齢からくるものだと言っている。

> 食事を拒否する原因や、食事拒否を改善する取り組みの様子を具体的に書くようにしましょう。

# 入浴

入浴は、身体の清潔保持や健康維持だけではなく、心身のリラックス効果も期待できます。ただ、プライバシーへの配慮や安全性には十分注意しましょう。

## 入浴前 の観察ポイント

### 入浴意思はあるか?

- ☑ 入浴することを納得している
- ☑ 気持ちの準備ができていない

**+α** 入浴拒否には理由がある。その理由を聞き出し、本人の不安を軽減するための声かけが必要

### 排泄の有無はどうか?

- ☑ 排尿、排便の確認をする
- ☑ トイレに誘導する

### バイタルサインはどうか?

- ☑ 体温・血圧・脈拍が正常値である
- ☑ 顔色が青白く、表情がすぐれない

**+α** 体温・血圧・脈拍は、通常「バイタル記録」に記載するので、異常時のみ介護記録に記載

**文例**

## 入浴意思はあるか?

- 「お風呂に入りましょう」と声かけをしたが、入りたくないのか返事もなく、いすに座ったままであった。「いい湯加減で、みなさん気持ちよさそうでしたよ」と誘うと、「じゃあ、入る」と言ってくれた。
- 入浴が大好きな小野寺さんが、**「怖いから嫌だ」**と言って、入浴を拒否する。「どうしたのですか」と聞くと、「変な機械が怖い」と言う。**前回からリフト浴に変更になったので、戸惑っている**様子。もう一度、リフト浴の説明を行い、納得してもらう。

## 排泄の有無はどうか?

- **排泄記録を確認**したところ、入浴前の排尿が必要と判断する。そこで、脱衣室へ行く前に「トイレを済ませてから、お風呂に入りましょう」と声かけをし、トイレに誘導した。
- 10分程前にトイレに行ったが、「先程、トイレに行かれたようですがもう一度行きますか」と声かけをし、入浴前に**排泄の意思があるかどうかを確認**した。

## バイタルサインはどうか?

- 入浴前、**顔色がよくないので**、看護師に連絡し、バイタルチェックを行う。体温、血圧、脈拍ともに正常値内。
- **3日前に37.6度の発熱**があり、その後も食欲がなくベッドで寝ていた。今日は、やっと**36.4度**まで下がり、**食欲も出てきて、表情も明るく元気**であった。入浴を検討。

## ケーススタディ 入浴前

　島本さんは、脳梗塞の後遺症で、左上下肢に麻痺があり認知症の症状もみられます。3日前から37.5度の微熱がありましたが、今日のバイタルチェックでの測定値では異常もなく、元気だったので、入浴を実施することにしました。

　しかし、入浴の時間になると、島本さんは「洋服がなくなると嫌だから」と入浴を拒否します。

　そこで、「洋服がなくならないよう、名前の書いてあるかごに入れましょう」とやさしく声かけをすると、納得した様子でした。

### ここを Pick UP

- ✔ 入浴については、まず本人の意思を尊重し、納得してもらうことが大切である。

- ✔ 利用者に少しでも不安なことがあれば、声かけにより軽減し、本人が安心して入浴できる状況を作るようにする。

## 伝わる記録

島本さんは、❶3日前から37.5度の微熱があったが、今日のバイタルチェックでは異常なし。入浴を決定。入浴時間になると、「洋服がなくなると嫌だから」と入浴を拒否する。

そこで、島本さんの名前の入ったかごを用意し、❷「洋服がなくならないよう、島本さんの名前が書いてあるかごに入れましょう」と声かけをした。すると、島本さんは静かにうなずいてくれた。

> **1** 体調の変化に十分注意を払い、観察しているのでGood。普段の状態をしっかりと把握しておくことも大切です。

> **2** 入浴を不安に思っている利用者の心情を理解しようとしているのでGood。安心して入浴してもらえるよう声かけをするとよいでしょう。

## 伝わらない記録

島本さんは入浴することに、不安な様子だ。入浴への意欲が感じられない。

> なぜ入浴が不安なのか、本人に声かけをして、しっかり原因を把握しましょう。

# 衣服の着脱から浴室移動 の観察ポイント①

## 脱衣室の状態はどうか?

☑ 室温を適切にする
☑ 備品に不足がないか確認

**+α** ヒートショックによる脳梗塞や狭心症等を防止するため、室温を適切に保つこと

## 衣服の着脱はできるか?

☑ 協力動作ができる
☑ 衣服を脱ぐことを嫌がる

**+α** 認知症の場合、急に衣服を脱がせると、不快感が残り、入浴を拒否されることがあるので注意。声かけにより本人の意思を確認することが大切

## 全身の状態はどうか?

☑ 皮膚に発赤、あざがある
☑ 体形の変化がある

**+α** 高齢者の場合は、バイタルサインに異常がなくても、体調が急変することがある。全身観察が重要

文例

## 脱衣室の状態はどうか?

- 脱衣室が寒くならないよう、室温25度に**エアコンの温度を調整**した。
- 他の利用者が入浴した直後のため、脱衣室の**床が濡れていた**。転倒の危険性があるので、きれいに水を拭き取ってから、神田さんを脱衣室に案内した。
- 入浴の前に、シャンプー、せっけん、バスタオル、ドライヤー、着替え一式等を**脱衣室に準備**した。

## 衣服の着脱はできるか?

- 入浴後、脱衣室で着替えを始める。しかし、**ズボンをはく際、ふらついてしまう**ので、壁の手すりにつかまってもらい介助をする。
- 「左手の袖を外してもらえますか」と声かけをすると、右手で左袖を外すことができた。残存機能を活かし、ズボンを脱いだり、袖を外したり、協力動作をすることもできた。

## 全身の状態はどうか?

- 上着を脱いだ際、背中の状態を確認する。**皮膚状態はきれいで、湿疹もなく異常はみられなかった**。
- 衣服の着脱時に、身体のバランスや手足の動き、痛みを感じている部分等はないかと注意深く観察したが、**特に異常はみられなかった**。
- 服を脱ぎ終わったら全身を観察する。**以前より身体の線が細くなっている**。入浴を終えた後、介護記録や食事記録表等で食事の量を確認すると、やはり食事の量が減っている。今後の経過を観察する。

# 衣服の着脱から浴室移動 の観察ポイント ②

## 浴室の状態はどうか？

☑ 浴室内を適温にする
☑ 転倒の危険がある

+α 心疾患がある場合や高血圧の場合は、お湯の温度をややぬるめにする

## 浴室内の移動はどうか？

☑ 自分で移動できる
☑ 介助が必要

+α 浴室内の移動は、転倒が起こりやすい。利用者の体力や、片麻痺等の場合は健側・患側をしっかり把握しておく

## プライバシーに配慮しているか？

☑ 羞恥心に配慮する
☑ 他の利用者との関係

文例

## 浴室の状態はどうか?

- 入浴の前に、浴室内を確認する。**床が少しヌルヌルして滑りやすくなっている**。転倒の危険があるので、掃除し、水気をとっておいた。
- 念のため、浴槽のお湯に手を入れ、熱くないか確認する。その際、「熱いお湯にしてくれ」とお願いされる。ただ、葉山さんは高血圧なので「こちらのほうが、ゆっくり入れて、リラックスできますよ」と答えたところ、**ちょっと不服そうな表情**をみせた。

## 浴室内の移動はどうか?

- 車いすを右足でこぎながら、浴室まで自走することができた。
- 浴室の入口から浴槽まで、手すりを使いながら移動することができる。ただ、**入口付近でもたついて、時間がかかってしまう**。本人は「ひとりで大丈夫です」と言うが、身体が冷えてしまう恐れがある。今後は、移動の介助方法を検討する。
- 浴室に入り、入浴用いすに移乗させる。その際、**ふらつきがみられた**ので、患側（左側）に立ち、身体を支えた。**最近、足腰が弱っているようだ**。膝折れや転倒に注意しながら介助する。

## プライバシーに配慮しているか?

- 車いすからシャワーチェアに移乗した際、一瞬**顔が赤くなった**ように見えた。すぐに下腹部にタオルを載せてあげると「ありがとう」と言ってくれた。
- 大浴場で高梨さんの入浴を介助する。**他の利用者とすれ違ったとき、ちょっとわき腹を隠すしぐさをみせた**。わき腹には、5年前に手術を受けたときの傷跡があり、気にしているようだ。浴室利用者が少ない時間帯がないか確認する。

入浴

## ケーススタディ 衣服の着脱から浴室移動

　高木さんは、脳梗塞の後遺症で、右上下肢に麻痺があり、車いすを使って移動しています。

　入浴の時間に迎えに行くと、高木さんは、脱衣室まで自力で車いすを動かして移動してくれました。脱衣室で衣服を脱ぐときに、入浴を拒否することがありますが、今日は「うれしいな〜」と言いながら、声かけに応じて、衣服を脱ぐことに協力してくれました。

　浴室内で車いすから入浴用いすへ移乗しようとしましたが、ふらつき、危うく転倒しそうになりました。

### ここを Pick UP

✔ 脱衣室や浴室では、室温の変化により体調が急変することがある。体調の変化を見逃さないよう注意する。

✔ 利用者の移動時には、自分でできる動作とそうでない動作を把握しつつ、自立支援につなげていくことが大切。

## 伝わる記録

入浴の時間になったので、高木さんを迎えに行く。脱衣室までは、車いすで自走。
❶脱衣室では、「右手の袖を外してください」等、こまめに声かけをしながら衣服を脱いでもらう。表情も晴れやかで、「うれしいな〜」と入浴を楽しみにしていた様子。ただ、❷車いすから入浴用いすへの移乗時にふらつき、転倒しそうになった。
最近、足腰が弱っており、十分な注意が必要。

**1** こまめに声かけをして、脱衣を促しているのでGood。脱衣にもたついて、入浴の楽しみをさまたげないように注意しましょう。

**2** 浴室の移乗時の様子が具体的に書かれているのでGood。転倒防止のための適切な介助方法を検討しましょう。

## 伝わらない記録

高木さんは、入浴用いすへの移乗時、転倒しそうになった。

転倒しそうになった事実も重要ですが、利用者がどのような動作ができているのかも書いてあると、今後の介助方法の検討に役立ちます。

## 入浴中・入浴後 の観察ポイント ①

### 浴槽（個浴）に入れるか?

☑ 洗い台・入浴用車いすの座面
　⇒浴槽と同じ高さに
☑ 洗った際、身体のバランスを崩す

+α 片麻痺の利用者に対しては、洗い台や入浴用車いすを使い、浴槽に入る際には、健側を浴槽側にして座らせる

### 座位姿勢はどうか?

☑ 座位姿勢のバランスがとれる
☑ 両足を浴槽の底につける

+α 右片麻痺の場合、患側の右足で浴槽の内壁を押すようにすると座位姿勢が安定する

### 入浴中の様子はどうか?

☑ 気持ちよさそうな表情
☑ のぼせている

文例

## 浴槽（個浴）に入れるか？

▶ 右片麻痺の近藤さんに、シャワーチェアから浴槽に移動してもらう。健側の左足から浴槽に入り、浴槽のふちを使って、身体を滑らせながら浴槽の中に入ることができた。「ふぅー」と安心した声が出た。

▶ **患側の足を浴槽に入れる際、足を高く上げすぎて、後ろに倒れそう**になった。背中に手を添えて支えていたので、事なきを得た。患側の関節の硬さを考慮していなかったのが原因と考えられる。今後は配慮が必要。

## 座位姿勢はどうか？

▶ 浴槽に入った際、もう一度**右手を浴槽のふちに誘導**する。こちらの指示通り右手でしっかりとつかむことができたので、座位姿勢が安定した。

▶ 座位姿勢が安定せず、浴槽の中でフワフワし始めたので、「**両足を底につけてみましょう**」**と声かけをし、両足を底につけてもらい**、座位姿勢を安定させた。

> ➡ 別パターン
>
> ● 座位姿勢が安定せず、後ろに倒れそうになった。「浴槽のふちに背中をつけましょう」と声かけをし、背中を浴槽のふちにつけたところ、両足も浴槽の底につき、座位姿勢が安定した。

## 入浴中の様子はどうか？

▶ 「お湯加減はいかがですか」と尋ねると、「いいねぇ〜」と楽しそうに言う。さらに、結婚した当時の思い出話もしてくれた。

▶ **長湯が好き**な片岡さんは、「そろそろ出ましょう」とお願いしても、なかなか出てくれない。**貧血やのぼせはない**様子で、入浴後の体調に変化はなかったが、事故にもなりかねないため、対策を検討する。

## 入浴中・入浴後 の観察ポイント ②

### 洗髪・洗身はできるか?
- ☑ 利き手の届く範囲は洗うことができる
- ☑ 全介助を要する

**+α** 洗髪・洗身介助に気をとられ、シャワーチェアに深く腰掛けてもらうことを忘れないように

### 頭部・腹部・背中等の状態はどうか?
- ☑ 首筋に痛みがある
- ☑ 頭皮に赤い発疹ができている

**+α** 洗髪・洗身時には、利用者の皮膚状態をしっかり観察し、異常があれば、その部位・状態を正確に記録しておく

### 入浴後の様子はどうか?
- ☑ のぼせている
- ☑ 貧血を起こす
  ⇒医療職に連絡

**文例**

## 洗髪・洗身はできるか?

▶ シャワーチェアに座り、**右手の届く身体の前側や左腕は自分で洗うことができた**。それ以外の右腕や背中、洗髪等については介助を要した。

▶ 町田さんがシャンプーでの洗髪を終え、シャワーのお湯で流そうとしたところ、**「熱い、熱い」と訴えがある**。シャワーの温度が思いのほか熱かったようだ。できることは本人にしてもらうが、この場合は、スタッフが温度を確認する必要があると感じた。

## 頭部・腹部・背中等の状態はどうか?

▶ お湯で背中を流していると、**左の臀部(お尻)に青いあざ**ができていた。「どうしたのですか」と聞くと、歩行時によろけて、尻もちをついてしまったとのこと。杖の使用も検討しつつ、経過を観察する。

▶ **右肩甲骨あたりの皮膚が少しただれている**。「しみますか」と尋ねると、本人は「大丈夫」とのこと。念のため、刺激をしないようにフェイスタオルでやさしく該当部分を拭いた。

➡ **別パターン**

- 仙骨部に1cmほどの水疱(すいほう)があった。
- 腰部のあたりに発赤がみられる。
- 膝の裏を手でかいているので、見せてもらうと、膝窩部(しっか)(膝後面)に湿疹がみられる。
- 右大腿部の内側に赤い斑点がある。

## 入浴後の様子はどうか?

▶ ドライヤーで髪を乾かしていると、新田さんの**顔色が青白くなった。名前を呼ぶと、意識はある**。貧血と判断し、医療職に連絡した。

▶ いつもより入浴時間が長くなってしまった。**のぼせていないか観察**するが、その様子はみられない。水分補給をしてもらう。水200ml。

入浴

## ケーススタディ 入浴中・入浴後

　安田さんは、最近足腰が弱り、歩行時に介助が必要です。楽しみのひとつがお風呂で、「お風呂はまだかな〜」といつも心待ちにしています。

　洗髪・洗身は、利き手で届く範囲は自分で洗えますが、届かないところは介助が必要です。

　浴槽（個浴）に入る際、右足はまたぐことができますが、左足はぎこちなく、安定しないので、スタッフに介助してもらっています。

　「やっぱりお風呂はいいね」とうれしそうな表情で浴槽につかっています。

### ここを Pick UP

- ✔ できることはしてもらい、できない部分を介助する。なるべく残存機能を活用してもらうように心がける。

- ✔ 入浴中の表情や行動を観察し、ささいな変化を見逃さないことも重要。その変化の理由と対策も常に考え、介助に役立てるようにする。

## 伝わる記録 Good!

　安田さんは、最近足腰が弱っているので、シャワーチェアに座るとき、ふらつきがみられる。

　洗髪・洗身は、❶利き手の右手を使い、自分で洗うことができ、右手の届かない部分は介助をしている。皮膚には異常はみられない。

　❷浴槽に入るとき、浴槽を左足でまたぎこすことをためらっていた。「支えているので、大丈夫ですよ」と声かけをし、左足で浴槽をまたいでもらった。

> **1**　自分でできることはしてもらい、最小限の介助にとどめているのでGood。自立支援が基本です。

> **2**　浴槽に入るときの様子が具体的に書かれているのでGood。不安感を取り除くような介助を心がけましょう。

## 伝わらない記録 Bad...

　安田さんは、浴槽に入るとき、ためらっていた。

> 利用者の様子やためらっていた理由として考えられること等も書きましょう。正確に記録しないと、今後の介護方針に支障をきたすことがあります。

入浴

# 清拭 の観察ポイント

## 清拭以外の方法はないか?

- ☑ 入浴も、シャワー浴も難しい
- ☑ 発熱が続いているため、入浴は避ける

## 体調・気分はどうか?

- ☑ 清拭を理解している
- ☑ 声かけをする
  ⇒体調確認

+α 体調がよくないときに行うのが清拭。顔色や表情、会話等から、体調の変化を正確に把握する

## プライバシーに配慮しているか?

- ☑ 羞恥心に配慮する
- ☑ 露出する部分を最小限度にする

## 皮膚の状態はどうか?

- ☑ カサカサしている
  ⇒やさしく拭く
- ☑ 発疹や発赤がある

**文例**

## 清拭以外の方法はないか?

- 5日前から風邪を引いて寝込んでいたが、入浴時間前の検温では、**36.5度**まで下がっていた。しかし、**体力が回復していないので**、入浴は避け、清拭を行う。
- 寝たきりの状態になり、カンファレンスの結果、入浴は難しいと判断。今後は清拭を行うことにした。

## 体調・気分はどうか?

- 「今日は暑いのでいっぱい汗をかいたでしょう」と声かけをすると、**「身体が汗ばんで気持ちが悪い」**と言われた。「身体をタオルで拭きましょうか」と促すと「お願いします」と返事があった。
- 「気分はどうですか」と声かけをしたところ、**「さっぱりしてよかった」**と笑顔で言う。「しばらくお休みになってくださいね」と声かけをすると、にっこりして「ありがとう」と言ってくれた。

## プライバシーに配慮しているか?

- 上着を脱いだ後、すぐにバスタオルをかけると、立花さんは、**恥ずかしそうに小声で**「ありがとう」と言ってくれた。
- 全身汗ばんでいたが、上半身の清拭が終わった後、シャツを着てからズボンをぬいでもらい、下半身の清拭を行った。

## 皮膚の状態はどうか?

- 上半身の清拭の際、洗浄剤を使うと**「しみる〜」**と訴えがある。よく見ると肌が荒れている。残りの部位は洗浄剤を使わず、お湯のみでやさしく清拭をした。
- 背中の清拭を行った際、以前、仙骨部にあった褥瘡が**2cm 程に広がっている**。清拭後、服やシーツにしわができていないか確認した。原因の把握と対策が必要。

## ケーススタディ 清拭

　服部さんは、5年前に高いはしごから落ちた際、胸髄損傷となってしまいました。現在、上肢を少し動かすことはできますが、両下肢は不全麻痺で、移乗や移動の際は全介助が必要です。

　昨日から倦怠感を訴え、今日は熱はないものの、やはり体調がすぐれません。大事をとって、入浴は中止することを説明しましたが、がっかりした表情です。

　しかし、気温も高いため、清拭を行うことを提案すると、「汗ばんで気持ちが悪いので、お願いします」と返事をしてくれました。

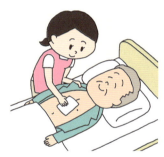

### ここを Pick UP

✔ 入浴が中止になってしまった場合、利用者の気持ちはどう変化しているのか、観察し、把握しておくことが大切である。

✔ 利用者が清拭を希望しても、体調はよくない状態なので、常に体調の変化には注意しておく。

## 伝わる記録 　Good!

　服部さんは、昨日から体調不良となり、倦怠感を訴えている。体温を測ると、36.5度。熱はないが、念のため、今日は入浴を中止して、経過観察する。

　そのことを聞いた❶服部さんは、「楽しみにしていたのに〜」とがっかりしている様子だった。

　そこで、❷「タオルで身体をきれいに拭きましょうか」と声かけをすると、「汗ばんで気持ちが悪いので、お願いします」と返事があった。

> **1** 楽しみにしていたお風呂に入れない気持ちが会話から伝わってくるのでGood。

> **2** 入浴の代わりに清拭を行うことで、利用者の満足感を得ているのでGood。今後は、いつ入浴を再開させるかが重要となります。

## ✗ 伝わらない記録　　Bad…

体調がすぐれないので、入浴の代わりに清拭を行った。

> 入浴を中止し、清拭をすることになった経緯を具体的に書きましょう。入浴が中止された際の利用者の様子も書くようにしましょう。

# 排泄

排泄は、利用者の自尊心にかかわるデリケートな行為です。便か尿かだけでなく、利用者の言動までしっかり記録し、自立をサポートしていきましょう。

## トイレへの誘導 の観察ポイント①

### 排泄の意欲はあるか?
- ☑ 便意・尿意が分からない
- ☑ 落ち着かない様子

+α 認知症の場合、便意・尿意が分からないことがある。ソワソワしていたら、声かけをする

### 排泄の準備はできるか?
- ☑ 歩行が自立しているか、介助が必要か
- ☑ ポータブルトイレの利用

### 排泄中の姿勢はどうか?
- ☑ 座位を保つことができない
- ☑ 手すりを利用する

### 排泄する環境は整っているか?
- ☑ リラックスして排泄できる
- ☑ プライバシーに配慮する

文例

## 排泄の意欲はあるか?

- 安西さんから**小声**で、「トイレへ行きたい」との訴えがあった。周りの利用者に配慮し、トイレまで誘導すると安心した様子だった。
- **食後にソワソワするような素振り**がみられたため、声をかけると、「おしっこがしたい」とのこと。トイレまで誘導した。

## 排泄の準備はできるか?

- 昨日、**転倒した影響で足を引きずっている**。そのため、今日はトイレへ行く回数が少ない。
- トイレへ誘導するため、声かけをしたが、居室へ戻ってしまい、**トイレを探す様子がみられた**。居室までの間に案内の看板を設置する等の工夫が必要であると考えられる。

## 排泄中の姿勢はどうか?

- トイレの便座に座っている際、**身体が傾いている様子がみられた**。このままでは転倒する危険性が考えられたため、対策として、クッションを利用し、身体の姿勢を保持する工夫を行った。

## 排泄する環境は整っているか?

- トイレへ誘導すると、**介護スタッフを気にする様子がみられた**ため、「終わったら声をかけてください」と話すと、「分かった。ありがとう」と感謝された。

# トイレへの誘導 の観察ポイント ②

### 自分で**コントロール**できるか?

- ☑ トイレまで我慢できる
- ☑ 排泄までに時間がかかる

+α 排泄記録から、利用者が排泄しそうな時間を予測して、声かけをすることも必要

### 後始末はできるか?

- ☑ トイレのレバーを回すことができる
- ☑ 便を直接触ってしまっても気がつかない

### 排泄後の行動はできるか?

- ☑ 着衣を自分でできる
- ☑ 手を洗うことができる

### 利用者の自尊心は守られているか?

- ☑ ショックを受けている
- ☑ 興奮している

文例

## 自分で**コントロール**できるか?

▶ 最近、**トイレまで間に合わず**、失禁していたが、今日、声かけにて早めに誘導すると、トイレでの排泄を行うことができた。

▶ 排泄の訴えがあったため、トイレへ向かったが、なかなか排泄する様子がみられなかった。**10分程経ってから、やっと排泄することができた。**

> ➡ もっと詳しく
>
> ● なかなか排泄する様子がみられない。「どうかしましたか」と声かけをすると、「狭くて落ち着かない」と言う。少しだけトイレの扉を開けると、落ち着いたようで、排泄ができていた。

## **後始末**はできるか?

▶ 「水を流してください」と声かけをしたが、「はい」と返事があるだけで**流す様子がみられなかった**。

▶ トイレのレバーに手をかけるしぐさはあったが、**最後まで回せていなかった**ため、きちんと流れていなかった。

## **排泄後の行動**はできるか?

▶ **ズボンに手が届かず時間がかかっていた**。「手伝いましょうか」と声をかけると「すみません」とお願いされる。手伝えば、ズボンをはけるようだ。

▶ 水だけでサッと手を洗う様子がみられたため、声をかけると、「昔はこれでよかった」と言う。理由を説明すると納得してくれ、せっけんを使って丁寧に手を洗ってくれた。

## **利用者の自尊心**は守られているか?

▶ 排泄物が便器に収まらず、周辺に飛び散っている。「ごめんなさい」と**申し訳なさそうに、小さくなっている**。「大丈夫ですよ」と声かけをし、居室に戻らせた後、便器周辺を清掃した。トイレ誘導までに**時間がかかったせいで、慌ててしまったようだ**。

排泄

## ケーススタディ トイレへの誘導

　横溝さんは、脳梗塞の後遺症による右片麻痺があります。今日は、体調不良の訴えもあり、ふらつきがみられました。

　スタッフがトイレ誘導し、排泄介助を行う際、横溝さんにズボンを下ろしてもらうと、バランスを崩してよろけてしまいました。幸い、スタッフが支えていたので転倒はしませんでした。

　手すりにつかまってもらい、声をかけましたが、自分でズボンを下ろすことは難しく、スタッフがズボンの上げ下げの介助を行いました。

### ここを Pick UP

- ✔ ズボンを下ろす動作でバランスを崩すこともあるため、その日の体調を把握しておく。

- ✔ 利用者の安全を守ることが第一である。事故防止の観点からも、具体的にどのような状況だったのかを記載しておく。

## 伝わる記録 Good!

　トイレへ移動し、「ズボンを下ろしていただいてよろしいですか」と声をかけたところ、足に力が入らず、ふらつきがみられる。
　その後、手すりにつかまってもらい、❶「足を開いて、しっかり立っていただけますか」と声をかけたが、やはりズボンを下ろすことは難しい様子。そこで、❷ズボンの上げ下げの介助を行った。

> **1** どのような行為ができて、どのような行為ができないかを記録しておくことで、今後の支援に結びつけることができるのでGood。

> **2** 利用者のその日の体調に合わせて、臨機応変に対応できているのでGood。しかし、焦って介助のしすぎにならないようにしましょう。

排泄

## 伝わらない記録 Bad...

　声かけ後、ズボンを下ろしてもらったが、途中でよろけてしまった。

> 具体的に書かれていないため、利用者の様子や状況を把握することができません。具体的に書くようにしましょう。

# おむつ交換 の観察ポイント

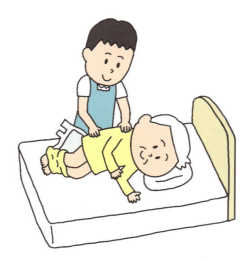

### 皮膚の状態はどうか?

- ☑ かさつき、発赤がある
- ☑ おむつのあとがある
  ⇒大きいサイズを検討

### いつ交換したか?

- ☑ 夜間に多い
  ⇒水分摂取時間を検討
- ☑ おむつ交換時、排泄がある

### おむつを外すきっかけはあるか?

- ☑ おむつが濡れていない
  ⇒自分で排泄
- ☑ 自立の意欲がある

**+α** 誰でも、排泄は自分で行いたいと思っているので、自立に結びつける援助ができるかどうか観察することが重要

### おむつは合っているか?

- ☑ 装着時に不快感の訴えがある
- ☑ 排泄の回数・時間を考慮
  ⇒排泄記録を確認

文例

## 皮膚の状態はどうか?
- **おむつを気にする様子がみられた。**臀部を確認すると、**皮膚に赤みを帯びている様子**がみられた。
- **バナナ1本程度の黄褐色の便**があり、おむつを交換する。その際、皮膚の状態を確認したが、臀部や陰部に**発赤等はみられない**。

## いつ交換したか?
- **19時頃**、おむつを着用し、就寝。翌日の**5時頃**、巡回時におむつを確認すると、排尿がみられた。おむつを交換する。
- **定時のおむつ交換**をしたところ、**少量**の**普通便**が出ていた。

## おむつを外すきっかけはあるか?
- おむつを着用している島村さんから、「トイレへ行きたい」という訴えが何度かあった。その都度トイレへ移動し、便座に腰掛けてもらう。**2回目のトイレ誘導時に排尿がみられた。**
- 現在、上田さんには認知症があり、おむつを着用している。しかし、声かけによりトイレ誘導すると、1日に1回程度の頻度で、排泄することができる。今後も声かけにより誘導すれば、トイレでの排泄も可能と考えられる。

## おむつは合っているか?
- 夜間、おむつを着用していたが、尿が漏れてしまい、シーツが汚れていた。**最近、体重が落ち、腰まわりが緩くなっていたため**だと思われる。今後、おむつのサイズ・種類等について、検討が必要。

排泄

## ケーススタディ おむつ交換

　長谷川さんは、認知症による見当識障害のため、トイレ以外で排泄することがあり、おむつをしています。まだ施設へ入所したばかりで、落ち着かない様子ですが、最近お気に入りのスタッフに「トイレへ行きたい」と訴えがありました。

　トイレ誘導すると、何度かトイレでの排泄もできています。その後も、自分でトイレを探す等、自力での排泄に意欲的です。

　しかし、他のスタッフには訴えがないので、おむつ外しの時期については、検討中です。

### ここを Pick UP

- ✔ 排泄物の処理をするだけでなく、利用者の声に耳を傾けつつ、介護・記録をしていくことが必要となる。

- ✔ 利用者が、今どのような心境なのか理解するため、その行動をできるだけ具体的に記録していくことが必要である。

## 伝わる記録

　長谷川さんから「トイレへ行きたい」と訴えがあり、今日は4回誘導した。❶そのうち2回はトイレで排尿できた。残りの2回はおむつに排尿がみられたものの、温かさがあり、排尿直後であると考えられる。
　長谷川さんに確認すると「さっき出てしまった」とのこと。❷他のスタッフへの訴えはないが、声かけにより、トイレでの排泄も可能と考える。

> **1** 具体的に回数を記録しているのでGood。今後の支援方法を検討する際の判断材料になります。

> **2** 記録した出来事から、今後の支援方法について検討がなされていてGood。他のスタッフも共通認識を持って介護を行うことができます。

## 伝わらない記録

おむつを確認したところ、排尿（＋）。

> 「排尿（＋）」だけでは、どのような状況で排尿があったのか分かりません。今後の支援につなげるためにも具体的に書きましょう。

排泄

第2章　お役立ち文例集

# 下痢・便秘 の観察ポイント

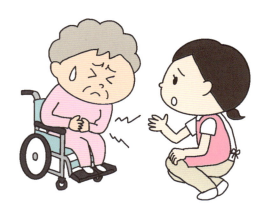

## 便の性状・量はどうか?

- ☑ バナナ便、コロコロ便、軟便
- ☑ 血便が出ている
  ⇒医療職に連絡

## 前回の排便は
いつだったか?

- ☑ 下剤の使用を検討
  ⇒医療職に連絡
- ☑ 重度の便秘
  ⇒腸閉塞、直腸がんの可能性

## 最近の食事状況はどうか?

- ☑ 食べ物の好き嫌いが激しい
- ☑ 水分をあまり摂取しない

**+α** 食事内容や量の偏りが、排便に影響することがあるため、食事の管理は重要

## ストレス等を
感じていないか?

- ☑ 家族のことで心配事がある
- ☑ ストレス緩和の方法がある

**文例**

## 便の性状・量はどうか?

- 5時頃におむつ交換を行った。その際、**水様便**が**2カップ**ほどあった。しかし、山崎さんはよく眠れており、苦痛やかゆみ等はないようだ。
- **3日ぶり**に排便があった。**少量**で**硬便**。17時頃、再度排便があった。**普通便、こぶし大**。

## 前回の排便はいつだったか?

- 柳本さんは、**4日前**に排便があったが、その後、排便がない。排ガスが多量にあり、**腹部に張り**がみられる。本人からも**「最近、便が出なくて苦しい」**と訴えがあり、食事の摂取量も減っている。医療職に相談する。

## 最近の食事状況はどうか?

- ニンジンやピーマンといった**野菜をいつも食べずに残している**。おやつ等自分が好きなものばかりを食べている。そのためか便も硬く、量も3分の1カップ程度しかない。
- 便秘がちな大谷さんから「下剤をください」との訴えがあった。便秘の日数を聞くと「2日間です」とのこと。それならば、下剤を使用するより、野菜や果物等をとって、バランスのよい食事を心がけましょうと話し、納得してもらった。

## ストレス等を感じていないか?

- カラオケ大会で、**極度に緊張した表情がみられた**。その際に、腹痛を訴え、トイレへ行ったところ、**下痢便を1カップ程度**排泄した。
- お通じのよかった岡倉さんが、**4日間便が出ていない**。仲のよかった服部さんが退所して、**話し相手がいないことが影響している**と考えられる。

排泄

## ケーススタディ 下痢・便秘

　永山さんは、極度の緊張状態になると、腹痛を訴えることがあります。次の囲碁大会の司会を任され、緊張しているのか、大会の1週間前から便秘気味になり、腹痛を訴えることが多くなりました。そのため、スタッフは排泄記録をチェックし、永山さんの排泄状況の把握に努めました。

　その後も、永山さんの便秘が続いたため、医師に相談し、下剤の使用が決まりました。

　翌朝、軟便が多量にみられ、本人も「とてもすっきりしたよ」とうれしそうにしていました。

### ここを Pick UP

- ✓ 便秘や下痢は、ストレスにも影響される。痙攣（けいれん）性便秘も考えられるため、本人の心身状況を詳細に記録することが必要である。

- ✓ 排泄状況を把握するために、排泄記録をつけていくことも有効な手段となる。

## 伝わる記録

永山さんは、司会をする予定の来週の囲碁大会について、❶「うまくいくかなぁ」と不安な様子で、最近は表情もやや硬い。そのためか、排便がない日が多くみられたため、排便チェック表を用いて健康管理をすることにした。

○月×日から4日間排便がなかったため、医師に相談のうえ、19時に下剤を服用。❷翌朝に軟便が多量にみられた。

> **1** 普段の様子を詳細に記録しているのでGood。痙攣性便秘は、ストレス等が影響するので、本人の状況の把握が不可欠です。

> **2** 下痢や便秘は身体の異常を知らせるサインでもあります。便が出た際にどのような性状だったのか記録しているのでGood。

## 伝わらない記録

永山さんは、心配性である。そのため便秘になったと考えられる。

> 推測で原因を判断すると、間違った支援につながってしまうことがあります。利用者の言動等をしっかり記録し、その原因を把握しましょう。

## 失禁への対処 の観察ポイント ①

### 時間帯はいつか?
- [x] いつ失禁したか
- [x] 時間帯に偏りがある

### 尿意・便意はあるか?
- [x] 尿意・便意を感じることができる
- [x] 尿意・便意を訴えやすい環境を整備

+α 仰臥位で排泄する場合、腹圧がかかりにくく、残尿になりやすいので注意

### どのような疾患があるか?
- [x] 内部障害等の疾患がある
- [x] 膀胱炎等の疾患がある

### 蓄尿機能はどうか?
- [x] 早めのトイレ誘導を行う
- [x] 排泄記録等で回数・量をチェックする

**文例**

## **時間帯**はいつか?

- 本間さんから、**朝食後すぐ**に「トイレが間に合わなかった」とスタッフに報告があった。
- 食後トイレへ誘導し、排尿があったが、**30分程**経ってからおむつ内に排尿がみられた。この間、飯村さんから、**尿意の訴えはなかった**。

## **尿意・便意**はあるか?

- 馬場さんには、切迫性失禁がある。テレビを見ているときに、急に便意を感じたが、間に合わず便失禁をしてしまった。
- 外出の際に、水分を多くとりバスに乗車した。乗車前には排尿を済ませていたが、バス内で尿失禁をしてしまった。後で話を聞くと、**尿意を感じたが他の利用者の迷惑になると思い、なかなか言い出すことができなかった**とのこと。迷惑ではないので、スタッフに遠慮なく言ってほしいとお伝えした。

## どのような**疾患**があるか?

- 桑田さんには、膀胱機能障害があり、日中に**10回以上**の排尿がみられる。今日もテレビを見ている間に3回排尿があった。桑田さん自身も、何度もスタッフに**尿意を訴えるのがおっくうになった**と言い、「おむつにしてください」と申し出があった。

## **蓄尿機能**はどうか?

- 入所して以降、遠藤さんに対し、こまめにトイレ誘導を行っていた。最近、**1回の排尿量が100ml～200ml程度と少なく、回数が増えてきている**。失禁につながらないよう今後の対策の検討が必要。

排泄

## 失禁への対処 の観察ポイント ②

### どのような声かけを行っているか?

- ☑ スタッフが積極的に声かけをしすぎない
- ☑ 声かけをするタイミングを考える

### 汚れ等の認識はできるか?

- ☑ 視力の低下がみられる
- ☑ 嗅覚の低下がみられる

### 排泄を気にしすぎていないか?

- ☑ 失禁を恐れて、消極的になる
- ☑ 外出しなくなった

+α 排泄は、生活の一部であり、その他の生活に影響を及ぼすことまで考慮することが必要

### 本人の様子はどうか?

- ☑ 元気がなくなった
- ☑ おしゃべりをしなくなった

文例

## どのような**声かけ**を行っているか？

▶ 藤井さんは尿意・便意を感じることができる。食後は、必ず「トイレへ行きませんか」と声かけを行っており、失禁には至っていない。最近は、藤井さんからの**「トイレへ行きたい」という訴え**はなくなってきており、スタッフが**声かけをしないと、トイレへ向かう様子もみられない**。

## **汚れ等の認識**はできるか？

▶ 後藤さんがトイレへ行った後、ズボンが汚れているので、居室にてその旨を伝える。後藤さんに話を聞くと、**「汚れていたことに気づかなかった」**とのこと。最近、ズボンが汚れているにもかかわらず、そのままタンスへ片付けてしまうことが多い。原因として、高齢による視覚機能の低下が考えられる。

## 排泄を**気にしすぎ**ていないか？

▶ 尿失禁をしてしまい、ズボンが濡れていた城島さん。濡れたズボンをそのまま布団の中に隠していたので、理由を聞くと**「恥ずかしくて言えなかった」**とのことだった。そこで、「遠慮しないで、いつでも声をかけてください」と言うと、「うん」と小さくうなずいてくれた。

▶ 今田さんは、最近、失禁の回数が増えてきた。そのため、**失禁を気にして、食事の際、水分を控えるようになった**。あまり食べたくないと言い、楽しんで食事をすることも少なくなった。

## **本人の様子**はどうか？

▶ 西野さんは、リハビリの訓練に熱心に参加していた。その際、「トイレの時間なので、行きましょう」と声をかけ、トイレに誘導した。しかし、西野さんは、**納得していないような複雑な表情をしていた**。

## ケーススタディ 失禁への対処

認知症の柏木さんには、尿意と便意があり、スタッフを呼んで「トイレへ行く」と訴えることがあります。ただ、尿意を訴えたときには、すでにおむつに排尿されていることも数回ありました。

しかし、訴え時にトイレへ誘導する支援を続けると、徐々におむつへの排尿が減り、トイレでの排泄回数が増えてきました。

柏木さん自身にも、トイレで排泄する意欲が出始め、「トイレへ行きたい」とたびたびスタッフに訴えるようになりました。

### ここを Pick UP

✓ 失禁をすると、日常生活に対して自信を失ってしまうことも考えられる。利用者の意向に沿った支援を行うことが大切である。

✓ 利用者主体の援助になるように、記録をもとに援助方法の検討を行っていくことが必要である。

## 伝わる記録 Good!

　柏木さんは、15時に「トイレへ行く」と訴えたが、❶すでにおむつ内に排尿していた。表情も暗く「申し訳ないね」と謝る様子がみられた。

　しかし、尿意と便意があるので、ケースカンファレンスで決定したトイレ誘導を継続。

　夕食後の訴えの際、トイレへ誘導したところ、トイレでの排尿ができた。❷柏木さんは、「ありがとう」とうれしそうだった。

> **1** 利用者が失禁に対してどのように感じているのかを記録しているのでGood。支援の改善へつなげるようにしましょう。

> **2** 利用者の気持ちに寄り添った支援が行われたことが利用者の言動に表れていてGood。常に利用者の気持ちを考えた支援を行いましょう。

## 伝わらない記録 Bad...

　最近、尿失禁が増えてきているため、おむつで対応することが望ましい。

> 利用者の意向も考えず、スタッフの考えだけで記録してしまうと、本来の失禁への対応には結びつかないので注意しましょう。

排泄

# 整容・更衣

身なりを整えることは、生活に張りを持たせ、楽しく一日を過ごすために重要です。利用者の要望を把握し、充実した日常生活を送れるようにサポートしましょう。

## 整容 の観察ポイント

### 歯磨き はできるか?

- ☑ 歯ブラシでブラッシングできる
- ☑ 歯磨きを拒否する

### 洗顔・顔拭き はできるか?

- ☑ 自分で顔を拭くことができる
- ☑ 洗えない部分がある

### 爪のケア はできるか?

- ☑ 爪切りができていない指がある
- ☑ 指の爪が巻いている、爪が厚くなっている

### 身だしなみへの興味 はあるか?

- ☑ 無精ひげのまま ⇒声かけして剃る
- ☑ 散髪を嫌がる

**+α** きちんとした身だしなみは、他者との親交を深め、社会的役割を担うためにも重要

**文例**

## 歯磨きはできるか?

- 食事終了後、歯ブラシを準備し、口腔ケアを実施しようとしたが、嫌がっている。理由を聞くと、**「家で使っていた歯磨き粉と違う」**とのこと。
- 歯を磨き終わった後、品川さんの口腔内を確認してみたところ、食べ物のかすが奥歯に残っていた。

## 洗顔・顔拭きはできるか?

- 「顔を拭きたい」との訴えがあったので、おしぼりを渡したが、**手が顔に届かない**。スタッフがおしぼりに手を添えると顔を拭くことができた。
- 洗面所に立ち、自分で顔を洗っている。その後、肌の乾燥を防ぐため、ローションを塗ってもらう。

## 爪のケアはできるか?

- 井本さんは、日頃から爪切りを嫌がっており、「爪を見せてください」と言っても隠してしまう。今日、そっと見てみると、**人差し指と中指が爪白癬のようだった**ため、主任に報告した。
- 爪切りは嫌がるのだが、ボランティアによるマニキュアは「爪がきれいになった」と喜んでくれた。

## 身だしなみへの興味はあるか?

- 相場さんは、居室にいることが多かったが、隣室の久保さんと仲がよくなり、**次第に笑顔も多くなった**。すると、「久保さんと会うために化粧をしたい」と訴えるようになり、毎日化粧を行うようになった。化粧をするようになってからは、**表情が明るくなり、積極的に他者と話すことも多くなった**。

整容・更衣

## ケーススタディ 整容

宮川さんは、施設内で過ごすことが多く、外出はあまりされません。そのためか、朝起きても、なかなか歯磨きや洗顔をせず、そのまま一日を過ごすことも少なくありません。

ある日、同じグループの町田さんに誘われ、地域の空き缶の回収活動に参加することになりました。何回か参加するうち、地域の人たちとよく話すようになり、宮川さんは、この回収活動が楽しみになりました。

この活動がきっかけで、歯磨き・洗顔等を自ら進んで行うようになりました。

### ここを Pick UP

- ✔ なぜ整容に対して意欲がわかないのか、その理由を考えてみる必要がある。

- ✔ 人とかかわることが、本人にとってどんな影響をもたらすのか、社会での役割を提供するような支援についても考慮する。

## 伝わる記録 📄 *Good!*

　宮川さんは、「出かけるわけじゃないから…」と歯磨きや洗顔に積極的でなかった。❶職員以外と会ったり話したりすることがないためか、服装などにも興味がない様子だった。

　しかし、空き缶の回収活動に参加してからは、歯磨きや洗顔にも積極的になり、今朝も❷「今日の洋服はおかしくない？」とスタッフに聞いていた。笑顔で地域の方々と話す様子がみられた。

> **1** 宮川さんが、身だしなみを気にしていなかった理由を考え、記録できているのでGood。

> **2** 実際の会話を記録すると、楽しんでいる様子が伝わりやすいのでGood。

## ✗ 伝わらない記録 📄 *Bad…*

　宮川さんは、なかなか歯磨きや洗顔をしてくれない。面倒くさいようだ。

> 推測で書いてはいけません。しっかり様子を観察し、利用者が何を望んでいるのか、本当の原因を見つけましょう。

整容・更衣

## 更衣 の観察ポイント ①

### 自分で**洋服を選べる**か?
- ☑ 一日中パジャマのままである
- ☑ コーディネートができる

### **四季の変化**を感じることができるか?
- ☑ 自分で衣替えができる
- ☑ 家族が季節に応じた服を用意してくれる

### **イベントに関心**はあるか?
- ☑ 誕生日が分からない
- ☑ 面会日を理解している

**+α** イベントのある日に、好きな服を着ると、日常生活にメリハリをつけることができる

### **おしゃれに興味**はあるか?
- ☑ お気に入りの服がある
- ☑ 他人の目を意識している

**文例**

## 自分で洋服を選べるか?

▶ 岡田さんは、大の野球ファンで、好きなチームが勝った翌日には「ユニフォームが着たい」とスタッフにお願いし、ユニフォームを着せてもらって喜んでいる。

▶ 午後の散歩の際、外出用の服に自分で着替えてもらったが、**上下の服の色がちぐはぐな印象**だった。以前はこのようなことはなかったので、経過観察が必要。

## 四季の変化を感じることができるか?

▶ 面会の際、**窓の外の紅葉を見て、「そろそろ衣替えの季節かしら」**とつぶやき、家族に「秋冬用の服を持ってきてほしい」と話していた。

▶ 10月中旬になるのに、長井さんは、**半袖のシャツを着ている。**今年は家族の面会が少なく、秋冬用の服を持ってきてもらっていない。家族(長女)に連絡する。

## イベントに関心はあるか?

▶ 誕生日を迎えた大地さんは、家族から赤いセーターをもらって、**とてもうれしそう**だった。「ずっと着ていようかな」と言って、家族を笑わせていた。

▶ 今日は息子さんが面会に来る日なので、着替えを手伝っていると、**「去年の誕生日にもらった真珠のネックレスを着けたい」**とお願いされたので、ネックレスを着けてあげた。

## おしゃれに興味はあるか?

▶ 「もう年だから」とよく話していたが、家族にワンピースを持ってきてもらうと、**「お気に入りなの」**とうれしそうにスタッフに見せていた。

▶ いつも積極的に着替えず、同じジャージ姿で数日過ごすことも多い。奥様に尋ねると**「昔から服装には無頓着な人なんですよ」**と話してくれた。

整容・更衣

## 更衣 の観察ポイント ②

### 衣類等の安全性を認識しているか?

- ☑ 自分の服のサイズが分かる
- ☑ 靴底が薄く、滑りやすい

### 着脱しやすい方法か?

- ☑ 脱健着患の原則を理解している
- ☑ 衣類に工夫がなされている

**+α** 脱健着患の原則とは、服を脱ぐときは健側から、服を着るときは患側から行うこと

### 適切な衣類を選べるか?

- ☑ パジャマ
  ⇒肌触り・吸水性
- ☑ 下着
  ⇒吸水性・吸湿性・伸縮性

### 快適か?

- ☑ 生活歴を考慮する
- ☑ プライバシーに配慮する

**文例**

## 衣類等の安全性を認識しているか?

- 佐々木さんは関節リウマチで、腕等の関節可動域に制限がみられる。2日前の外出時、サイズが小さいTシャツを**間違えて買ってきてしまった**様子。今朝、そのTシャツを着ようとして、無理に腕を動かしたため、右肩を脱臼してしまった。

## 着脱しやすい方法か?

- 先日、転倒し右腕を骨折してしまった。更衣時に、自分で洋服を着ようとするが、いつものようにスムーズにはいかない。患側の右腕から着るように指導する。
- 自分で衣類を着替えようとするが、左片麻痺のため、ボタン式の上着では、着替えるのに時間がかかってしまう。青山さんは、最近、すぐ「できない」と訴えることが多い。そこで、今朝はファスナー止めの上着や面ファスナー式のズボン等、着替えやすい工夫をしたところ、「**簡単にできていいね**」と自信を取り戻した様子だった。

## 適切な衣類を選べるか?

- 恒例のバレーボール大会をすることになった。しかし、藤島さんは、ジャージ等の運動着ではなかったので、シャツが汗でびっしょり濡れていた。風邪を引かないようにタオルで汗を拭いてもらった。「次回は事前にお知らせしますね」とお話しした。
- 清拭を行ったところ、**仙骨部分に発赤がみられた**。シーツだけでなく、寝巻き等のしわにも注意が必要だと考えられる。

## 快適か?

- 入所前、キャベツを栽培していた権藤さんは、仕事中にはもんぺ姿でいることが多かったそうだ。そこで、もんぺを着てもらうようにすると、権藤さんは、**積極的に他者と話すことも増え、生活全体に意欲が増加した**。

整容・更衣

### ケーススタディ 更衣

認知症である半田さんは、洋服にこだわりがあり、おしゃれな服をたくさん持っています。しかし、歩行時のバランスが悪く、自分で洋服を洗濯することが難しい状態です。

ある日、半田さんがスタッフに「ピンクのシャツがない！」と怒っている姿がみられました。

担当スタッフが、半田さんの了解を得ずに、そのシャツを洗濯に出してしまったようです。

その後、半田さんに洗濯に出していたシャツを見せ、安心してもらいました。

### ここを Pick UP

- ✓ スタッフ側の判断だけで、洗濯や更衣の援助をしていないか、再確認することが必要である。

- ✓ 「安全に着てもらう」という観点だけでなく、「安心して着てもらう」という観点からの支援も必要である。

## 伝わる記録 　Good!

　半田さんが、スタッフに「ピンクのシャツがない！」と怒っている。担当スタッフが、半田さんのロッカーを整理した際、❶ロッカーにあったピンクのシャツを本人の了解を得ずに、洗濯に出してしまったことが原因と考えられる。

　スタッフが、❷半田さんに原因を説明し、洗濯に出したピンクのシャツを確認してもらうと、納得した表情をされていた。

**1** 怒っている原因を具体的に記録しているのでGood。スムーズに原因を把握することが、利用者の安心感にもつながります。

**2** 原因に対する適切な対応がとられているのでGood。原因を説明し、利用者に納得してもらうことが大切です。

## 伝わらない記録 　Bad...

　半田さんが、スタッフに対し、怒っている様子がみられた。

トラブルの原因とその後の対応を書きましょう。それにより、今後の対策を検討したり、家族へ説明したりすることができます。

# 移動・移乗

移動・移乗時は、利用者の心身状況を把握することが、安全で安心な介護につながります。移動・移乗の際は、こまめに心身状況を確認するようにしましょう。

## 移動 の観察ポイント ①

### 車いすの メンテナンス はどうか?

- ☑ ブレーキがかかる
- ☑ 部品がなくなっている
  ⇒使用中止

### 杖 や 歩行器 は 身体に合っているか?

- ☑ 杖先のゴムがすり減る
  ⇒歩行状態の確認
- ☑ 歩行器の進みが速すぎて、すぐ身体から離れる
  ⇒調整を検討

### 姿勢 はどうか?

- ☑ 左右に傾きがある
- ☑ 前傾・後傾姿勢になっている

+α 車いす使用時は、クッションや付属品を使用し、姿勢を整えることで改善できる場合がある

### 体調 はどうか?

- ☑ めまいやふらつき、気分不快の症状がある
- ☑ 体温調節、水分補給の確認

**文例**

## 車いすの**メンテナンス**はどうか?

- 車いすに乗り、自力で廊下を移動するが、**直進できない**。車いすを確認すると、**右タイヤの空気圧が低かった**ので、空気を入れて空気圧を均等にした。
- 車いすを使用する前に安全点検を実施した。破損等はなく、安全に使用できる状態が確認できた。

## **杖**や**歩行器**は身体に合っているか?

- 歩行時に杖を使用しているが、**積極的に使っている様子はない**。理由を尋ねると「**杖が長くて使いづらい**」とのこと。身長に合わせて杖の長さを調節した。
- 歩行訓練のため、歩行器を使用している。現在、歩行器にも**慣れ、身体をしっかり支えることができるようになり**、安定した歩行が可能になった。

## **姿勢**はどうか?

- 車いすでの移動中、**極端な仙骨座り**になっていた。**つま先を床につけながら足を動かしている**ので、車いすから転落してしまう危険があり、低床タイプのものと交換した。
- 歩行時のバランスが悪くなってきた。**数歩の歩行でふらつき、転倒しそうになる場面がみられた**。2輪歩行器等の使用を検討する。

## **体調**はどうか?

- 久しぶりに屋外へ散歩に出かけた。夏の暑さで脱水症状が起こらないよう、**水分補給をしながら日陰で休息**をとってもらった。
- 車いすでは、足元が冷えやすいので、膝掛けを使用して保温に気を配った。

移動・移乗

# 移動 の観察ポイント ②

### 表情や顔色はどうか?
- ☑ 不安や恐怖を感じている
- ☑ リラックスしている

### 自立なのか介助なのか?
- ☑ 自分で歩いている
- ☑ 車いすを押してもらう

### 服装はどうか?
- ☑ 袖口が広がっている
- ☑ 靴のサイズが不適切

### 車いす各部の調整をしているか?
- ☑ レッグサポートが外せる
- ☑ 背もたれの調整

**文例**

## 表情や顔色はどうか?

- 車いすを押したときに、**身体を硬くし、緊張している様子**が感じられた。速度を緩めつつ、「右に曲がります」と進行方向も伝えたところ安心してくれた。
- 玄関から屋外に出た瞬間、**顔をしかめて「まぶしい」と訴え**があった。

### ➡ 別パターン

- まぶしさを強く感じるとの訴えがあった。白内障のため、サングラス等、光に対する配慮が必要である。

## 自立なのか介助なのか?

- 施設内でシルバーカーの使用を希望する加藤さんが入所してきた。「以前は外出時に使用していた」とのこと。主任と相談し、室内用シルバーカーを用意した。
- 介助者が両手を引いて、歩行介助をしていたが、**最近つまずきやすくなった**。歩行介助方法を見直そうと思い、主任に相談した。

## 服装はどうか?

- 「靴が大きくて歩きにくい」と訴えがあった。履き込みの浅い靴をはいていたので、**歩行時に脱げていた**。したがって、足の甲で支えられる形をした、履き込みの深い靴を購入することにした。

## 車いす各部の調整をしているか?

- 移乗時に、両足で立つことができるのに、車いすのレッグサポートが付いたままだったので、本人に確認して外した。

### ➡ 別パターン

- レッグサポートが付いているために、足が引けない状態が生じていた。

## ケーススタディ 移動

　山口さんは、脳梗塞の後遺症のため、左片麻痺があります。病院を退院するにあたり、歩行訓練等のリハビリを受け、多点杖での歩行が可能です。

　しかし、施設内では車いすを使用したいという訴えが強く、多点杖を使おうとしないため、主に車いすで移動しています。車いすは健側の右手、右足を使用して自分で移動しています。スタッフが多点杖の使用を促すと「杖は嫌だ」と強く拒否します。

　最近は、立ち上がるときにふらつくこともあり、下肢筋力の低下が心配されています。

### ここを Pick UP

- ✔ なぜ、車いすを使用したいのか、その理由を確認する。杖を使用したくない理由が分かれば、状況を改善するきっかけにもなる。

- ✔ 「立ち上がるときにふらつく」等、日常のちょっとした情報も、支援方法を検討する際の判断材料になることがあるので記録しておくとよい。

## 伝わる記録

山口さんは、朝食をとるためにホールに移動しようとして、❶多点杖を支えにベッドから立ち上がり、歩き出したところ、バランスを崩し床に尻もちをついた。けがや痛みはないことを確認したが、尻もちをついたことで、「杖を使うのは怖い」と訴えた。

念のため、転倒後の状態変化も考慮して車いすを使用したが、❷一日中元気がなく、「杖は嫌だ」と訴え、自信をなくしたように感じられた。

> **1** 転倒時の状況が詳しく表現されていて、転倒の原因を分析しやすいのでGood。

> **2** 尻もちをついてしまったことへの恐怖感と、自信喪失による心理的変化を具体的に表現できているのでGood。

## 伝わらない記録

山口さんは、朝食前に転倒してから、杖を使わなくなった。

> 転倒した状況も、杖を使いたがらない理由も、記録から判断できません。転倒状況を確認し、声をかけて、その理由を確認しましょう。

## 移乗 の観察ポイント

### 移乗動作を理解
しているか?

- ☑ しっかり覚醒している
- ☑ 手順を理解している

### 安全に移乗
できる環境か?

- ☑ 必要な福祉用具や人員が揃っている
- ☑ 移乗に必要なスペースがある

+α 利用者の混乱を避けるため、衣類や生活用品等を片付ける場合は、必ず本人の許可を得る

### 利用者の機能を
活かせるか?

- ☑ 健側が使える
- ☑ 自立支援を意識する

### ボディメカニクスの
利用はどうか?

- ☑ 支持基底面を確保する
- ☑ 腕の力だけに頼らない

**文例**

## 移乗動作を理解しているか?

- ベッドから車いすに移乗したとき、**眠そうな様子でふらついていた**。車いすからの転落防止のため、覚醒を確認してから、移乗させる配慮が必要だった。
- 移乗前に手順を説明し、動作の理解を促した。その甲斐あって、**安心した様子**で移乗に応じてくれた。

## 安全に移乗できる環境か?

- 身長が180cm以上ある田口さんから、車いすに乗りたいとの依頼があった。ひとりで介助することは危険であると判断し、男性スタッフの松本に補助を依頼した。
- ベッドサイドに衣類や生活用品が散乱し、車いすを適切な位置に置くことができなかった。石崎さん本人の許可を得て、ベッドサイドの整理整頓をしてから移乗することにした。

## 利用者の機能を活かせるか?

- 深く安定した座位を保つため、移乗する車いすに健側の手をかけてもらい、立位のバランスを確認しながら、**本人のペースで回転し、腰を下ろしてもらう。**
- 安藤さんから「**自分で車いすに乗りたい**」との要望があった。しかし、麻痺があり、立位のバランスが悪いため、ひとりでの移乗は危険と判断。検討の結果、**介助バーを利用した移乗を試す**ことになった。

## ボディメカニクスの利用はどうか?

- 鈴木さんの身体を抱え上げた際に、姿勢を崩してふらついてしまった。足元が安定せず、転倒する危険があったので、支持基底面を広く確保することを意識しながら移乗を行った。
- 大田さんは、身体が大きいので、車いすで段差や坂道を上るときは、全身を使っての介助が必要。

 ケーススタディ **移乗**

菊池さんは、廃用症候群（生活不活発病）で、長時間の離床はできません。食事や入浴等の際に、ベッドから車いすへ移乗しますが、手や足には拘縮があり、スタッフは抱えるのに苦労しています。

また、車いすへの移乗の際に、足が車いすに当たり、あざや傷が生じることがあります。

ある日、息子さんが面会に来た際、菊池さんの足にあざや傷ができているのを見て、疑問に思い、スタッフに説明を求めました。

スタッフは、介護記録を確認し、説明と報告を行いました。

### ここを Pick UP

- ✓ 事故防止の観点から、利用者の状態に応じて、二人介助の必要性や福祉用具の利用を検討することが必要となる。

- ✓ 家族への報告は、その都度行う必要がある。事故の生じた状況、傷や体調の状態、対応方法等を報告する。

## 伝わる記録 　Good!

　朝食のため、菊池さんを抱え、車いすに移乗しようとしたが、❶身体の抱え方が不十分であったため、はね上げていたフットサポートに菊池さんの足が引っかかってしまった。移乗を終え、確認すると、右すねの皮膚が2cmほど切れて出血していた。
　❷主任に報告すると、「看護師に処置を依頼し、家族に報告。観察を継続して事故報告書を作成しなさい」と指示を受けた。すぐに看護師に処置を依頼した。

> **1** けがをしたときの状況が詳細に書かれていて、事故の原因を分析し、今後の事故防止につなげることができるためGood。

> **2** 報告・連絡・相談の徹底が大切。主任からの指示内容が書かれているのでGood。

## ✗ 伝わらない記録 　Bad...

　菊池さんをベッドから移乗させるときに、足をぶつけて、けがをさせてしまった。

> 事故の原因とその後の対応を書きましょう。それにより、今後の対策を検討したり、家族へ説明したりすることができます。

移動・移乗

# 口腔ケア

口腔ケアは、口腔内を清潔に保って虫歯や歯周病を予防するだけでなく、食事をおいしく食べたり、良好なコミュニケーションをとったりするためにも欠かせません。

## 口腔ケア の観察ポイント

### 残存歯があるか総義歯なのか?

- ☑ 総入れ歯（総義歯）を使用している
- ☑ 部分入れ歯（部分義歯）を使用している

### 義歯は合っているか?

- ☑ 日常的に使用していない
- ☑ もごもごと口を動かしている

### 自分で口腔ケアができるか?

- ☑ 意欲があり自分でできる
- ☑ 寝たきりや認知症のためできない

### 義歯を自分で管理できているか?

- ☑ 自分で正しく保管できる
- ☑ 職員が保管する必要がある
  ⇒認知症等の場合

文例

## 残存歯があるか総義歯なのか?

▶ 総入れ歯を使用しているが、**汚れが目立ち、口臭がある**。外して汚れを落とした。洗浄剤の使用も検討。
▶ 残存歯が数本あり、食後に歯磨きを行った。**歯肉が腫れており、出血があった**ので、看護師に報告し、歯科受診を検討した。

## 義歯は合っているか?

▶ 新しい義歯を作ったが、保管容器の中に入れたままで、使用している様子がない。理由を聞くと「**歯ぐきに当たって痛い**」とのこと。義歯の調整を依頼する。
▶ 会話の際、**義歯が外れやすく、発音が不明瞭**で聞き取りにくい。合わない義歯は、口腔内の炎症等を引き起こすことを説明し、歯科受診の了解を得た。

## 自分で口腔ケアができるか?

▶ 毎食後、**習慣的に自ら歯磨きをしている**ことから、口腔ケアの必要性を理解できている様子。本人は「食事をおいしく食べたいし、元気でいたいから」と話す。
▶ 経管栄養であるため、口腔内が乾燥し、**舌苔が目立ち始めている**。より丁寧な口腔ケアを行う必要があるため、口腔内の状態を申し送りで報告した。

## 義歯を自分で管理できているか?

▶ 夕食後は義歯を外して洗浄し、毎晩、自分で水につけて保管している。
▶ 居室のタンスを開けると、ティッシュペーパーに包んだ義歯が見つかった。認知症の可能性があるため、義歯の使用や保管方法について検討する必要あり。

口腔ケア

## ケーススタディ 口腔ケア

　出川さんは、入所時から義歯を使用しています。今まで自分で口腔ケアを行ってきましたが、年齢とともに意欲が低下し、身体的にも体力低下が目立ってきたため、介助が必要になりました。

　最近、食欲がないので、話を聞くと、隣の席の方に口臭を指摘され、ショックを受けていました。

　口腔内を確認してみると、歯肉炎や舌苔ができていました。

　カンファレンスの結果、口臭改善と炎症の治療をするため、家族と本人の了解を得て歯科受診をすることになりました。

### ここを Pick UP

- ✔ 口腔内の炎症が口臭の原因となり、利用者間のコミュニケーションに支障をきたすことがあるので、注意が必要。

- ✔ 在宅の場合、歯科受診等では、ケアマネジャー、家族等との調整が必要となる。

## 伝わる記録 　Good!

　出川さんから、夕食前に「食べたくない」という訴えがあった。理由を聞くと、❶隣の席の藤川さんから「出川さんは口が臭い。一緒に食事をしたくない」と言われ、ショックを受けたとのこと。

　出川さんには食事の席を移動してもらう。また、口臭解消のため、❷歯科受診と口腔ケアの方法を再検討する。本人とも相談し、歯磨きをこまめに行い、義歯を洗浄剤につけて保管することにした。

> **1** 食事をしない原因が、明確に記録されているのでGood。利用者本人から聞き取った情報も解決のヒントになります。

> **2** 今後の方針を記録しているのでGood。受診日の調整に時間がかかることもあるため、すぐにできる口腔ケアを検討し、取り組むことも必要です。

口腔ケア

## ✕ 伝わらない記録 　Bad...

　出川さんの食事量は減っているが、しっかり食べることもあるので、そのまま様子をみた。

> まず、食事を食べたくない理由を確認しましょう。身体的な理由だけでなく、心理的な理由が影響していることもあります。

# 口腔トレーニング の観察ポイント

## 麻痺はないか？

- ☑ 食事や水分でむせる
- ☑ 片麻痺がある

**+α** 片麻痺がある場合は、嚥下にかかわる筋力にも麻痺が生じていることに注意

## 発音は明瞭か？

- ☑ 大きな声を出そうとすると咳き込む
- ☑ 言葉が不明瞭で聞き取りにくい

**+α** 「ぱ」「た」「か」「ら」の発声時には、複雑な舌の動きが要求されるので、無理をさせないよう注意

## トレーニングへの参加は積極的か？

- ☑ 自主的に参加している
- ☑ 拒否している

**+α** 無理に参加を促しても効果は上がらない。楽しみながら、積極的に参加できる方法を考える

文例

## 麻痺はないか？

▶ **食事中にむせることが多く**、誤嚥性肺炎の危険がある。食事介助についてST*に相談し、観察・評価を行い、介助方法を見直したところ、むせることがなくなった。　　　　＊ST…言語聴覚士の略

▶ 片麻痺があり、**常に流涎がみられる**。食事中も口角から食べ物がこぼれることが多い。唇と頬の筋力を向上させるための口腔トレーニングを提案することにした。

## 発音は明瞭か？

▶ 片麻痺があり、発音も不明瞭であるため、食事前に口腔トレーニングを取り入れたところ、大きな声で発声できるようになってきた。

▶ STの指導で、「ぱ・た・か・ら」という発声練習をリハビリに取り入れた。唇と舌の動きを意識して行うことが大切であると指導を受けた。

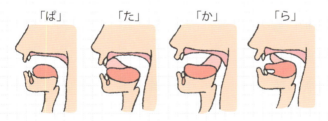

「ぱ」　「た」　「か」　「ら」

## トレーニングへの参加は積極的か？

▶ 傾眠状態が続いている塩田さんの口腔トレーニングとして、舌や頬の内側を氷水に浸した綿棒でマッサージした。

▶ 発声練習を開始してから、**「声が出るようになってうれしい」**と、本人から聞かれるようになった。ホールでも**他の利用者と交流している様子が頻繁にみられるようになった**。

## ケーススタディ 口腔トレーニング

　佐田さんには片麻痺があり、発音も不明瞭です。

　食事中も、むせることがあり、食べこぼしたりします。ここ数日食欲がなく、微熱も続き、呼吸状態も「ゼーゼー」といつもより苦しそうなので、看護師に報告し、受診しました。

　受診の結果、誤嚥性肺炎であることが判明し、入院することとなりました。退院後、再発防止のため、ST（言語聴覚士）と連携し、発声練習やマッサージ等の口腔トレーニングを実施することとなり、本人にもその旨を伝え、参加してもらいました。

### ここを Pick UP

- ✓ 高齢者は、非典型的な症状を示すことが多く、日常の様子を十分に観察して「いつもと違う」サインを見逃さないようにすることが大切。

- ✓ 専門職と連携しつつ、本人にも了解を得ることにより、参加意欲が高まり、効果的な口腔トレーニングを行うことができる。

## 伝わる記録 　Good!

　誤嚥性肺炎になった佐田さんは、約1か月で退院できたが、❶食事の摂取方法改善のため、嚥下トレーニングを開始する必要がある。カンファレンスを開催し、STの指導のもと、食事前の発声練習や嚥下体操、食後の口腔ケアを実施することになった。
　❷内容は、「ぱ・た・か・ら」発声練習、首・肩の体操、口腔内マッサージ、口腔ケア（ぶくぶくうがい）となった。本人にその旨を伝え、了解を得た。

> **1** 誤嚥性肺炎による再入院のリスクを回避するために、カンファレンスの実施が決定されています。その経過が記録されているのでGood。

> **2** カンファレンスで決定した内容が記録されているのでGood。本人にも内容を正しく伝え、積極的な参加を促しましょう。

## ✕ 伝わらない記録 　Bad…

　佐田さんは、再発防止のために口腔トレーニングが必要である。STに訓練を依頼した。

> 退院後のケアは、専門職だけに任せるのではなく、スタッフと専門職との連携が不可欠です。トレーニングの目的や内容も記録するようにしましょう。

# 与薬

薬は、飲み忘れたり、過剰に摂取したりすると、健康状態に重大な影響を及ぼすことがあります。利用者が正しく服薬できるようにサポートすることが重要です。

## 与薬 の観察ポイント

### 薬の管理は適切か?
- ☑ 薬をなくすことがある
- ☑ 必要な分量を服薬しない

### 薬に依存しすぎていないか?
- ☑ 薬を過剰に服薬する
- ☑ 薬が手元にないと不安を覚える

### 利用者に適した薬か?
- ☑ 発疹等の副作用が出る
  ⇒医療職に連絡
- ☑ 薬を飲むのを嫌がっている

### 服薬方法は適切か?
- ☑ 飲み残しがある
- ☑ 服薬時に十分な水分をとらない

**文例**

## 薬の管理は適切か?

- 食後の薬を飲み忘れることが多いので、服薬の習慣を身につけてもらおうと、「薬を飲みましたか」と声をかける回数を増やした。
- 認知症が進行し、自力での薬の管理が難しくなった。本人の同意のもと、服薬したかどうか、家族に確認してもらうことを検討している。

## 薬に依存しすぎていないか?

- **頭痛がするとすぐ「鎮痛剤が欲しい」と訴えるようになった。**薬への依存度が高まっていると判断し、主治医の立ち会いのもと、本人と話し合いの場を持つことにした。
- 食後、**何度も同じ薬を飲もうとする**。理由を聞くと、**「効果が出ているかどうか不安だから」**と言う。

## 利用者に適した薬か?

- 薬（散剤）を飲んだふりをして、捨ててしまうことがある。**「苦くてどうしても飲めない」**と言う。主治医に、薬をオブラートで包む等できないか相談した。
- **服薬後、「気持ちが悪い」と身体の不調を訴える。**主治医には様子をみるようにと言われているが、訴えが続くため、相談することにした。

## 服薬方法は適切か?

- 顆粒の薬を服薬していたが、**飲み残しが多くみられていた**。先日錠剤に変えてもらってからは、**「飲みやすくなった」**と言っていた。
- お茶で服薬することが、長年の習慣になっている。しかし、今度の薬は、お茶では効果が薄まるため、水で服薬する必要があることを説明し、了解を得た。

## ケーススタディ 与薬

　竹本さんは、軽度の認知症です。ADLは自立していますが、最近は記憶力が低下し、同じことを何度も繰り返す傾向がみられます。

　心臓等に疾患があるため、複数の薬が処方されており、毎食後、服薬しなくてはなりません。

　自立心が強く、自分で服薬管理をしてきましたが、最近飲んだかどうか分からなくなり、食後に何度も服薬しようとすることが増えました。

　スタッフの助けを借りたい素振りを見せることもありますが、なかなか言い出しづらいようです。

### ここを Pick UP

✓ 毎食後、服薬したかどうかをスタッフが観察し、記録しておくとよい。

✓ 「何かお手伝いできることはありますか」と声かけをして、利用者が支援を求めやすい雰囲気をつくるようにする。

## 伝わる記録

　竹本さんは、他の入所者とよく話をしており、入浴や排泄も自立している。しかし、最近は記憶力の低下がみられる。食後に服薬してしばらく経つと、❶自分が薬を飲んだかどうか不安そうな表情で周りに尋ねることも増えた。

　今日の昼食後、「ちょっといいかな」と話しかけてきたが、❷口ごもった後、「やっぱりいいです」と言い、居室に戻ってしまった。

与薬

> **1**　利用者の不安感が伝わってくる表現なのでGood。今後は、スタッフが見守っていることをアピールし、安心できる雰囲気をつくりましょう。

> **2**　利用者が協力してほしいと言い出しにくそうな様子が具体的に書かれているのでGood。今後は、自立心を損なわないような支援の仕方を考えましょう。

## ✗ 伝わらない記録　Bad…

　竹本さんは、薬を飲んだかどうか分からなくなることが多い。しかし、自立心が強く、自分で服薬管理をしたいようだ。

> 本当に自分で服薬管理したいのか、利用者のニーズを確認しましょう。また、自力での管理を望んでいる場合でも、正しく服薬しているかについては、観察が必要です。

第2章　お役立ち文例集

# 認知障害・行動障害

認知障害・行動障害は、本人を取り巻く環境に左右されやすい傾向にあります。介護の際は、利用者がより安心して過ごせる環境を整えることを第一に考えましょう。

## 認知障害 の観察ポイント

### 記憶障害はあるか?
- ☑ 同じ話を何度もする
- ☑ 食後に「何も食べていない」と言う

### 状況判断(見当識)はできているか?
- ☑ 自室に戻れずに迷っている
- ☑ 家族の顔が分からない

### 喚語困難はないか?
- ☑ 物品等の名前が出ない
- ☑ 状況をうまく説明できない

+α 喚語困難については、観察を継続して行い、記録に残すと症状を把握しやすくなる

### 失行、失認はないか?
- ☑ 衣服の着脱ができない
  ⇒失行
- ☑ トイレの使い方が分からない
  ⇒失認

文例

## 記憶障害はあるか?

- 昼食時、隣席の大木さんに同じ話(戦時中の話)を何度も繰り返していた。大木さんが**困惑していた**ので、間に入って相づちを打ちながら聞いた。
- 朝食後、他の利用者のために準備していたおにぎりをケアステーションで食べてしまう。**1個完食**。

## 状況判断(見当識)はできているか?

- 井口さんが**不安な表情**で廊下を歩いている。声をかけると「部屋が分からなくなった」と言う。井口さんの居室まで一緒に戻ると**ホッとした様子**だった。
- ズボンだけでなく下着も濡れていて失禁した様子。**2日連続で、トイレの場所が分からなくなり、トイレに間に合っていない**。継続的な観察が必要。

## 喚語困難はないか?

- 昼食の際、煮物の具である**ニンジンの名前を思い出すことができなかった**。そのことに**ショックを受け**、食事をとらずに自室へ戻ってしまった。要観察。
- 伊藤さんと口げんかになり、伊藤さんの顔をたたいてしまう。理由を聞いても、**言葉にならず興奮してしまう**。**当時の状況をうまく思い出せない様子**。

## 失行、失認はないか?

- 入浴時、ポロシャツを脱ごうとするが、襟まわりをいじっているだけで**脱ぐ動作に入ることができなかった**。声をかけると、脱ぐことができた。
- 排泄介助の際、トイレに誘導するが便器の前で戸惑っている。声をかけたが**「やり方が分からない」**と言う。

認知障害・行動障害

## ケーススタディ 認知障害

　山本さんは、アルツハイマー型認知症により認知機能障害があります。中核症状として、見当識障害、失認、失行があり、周辺症状（BPSD＊）として、攻撃的行動と介護への抵抗があります。

　山本さんは、トイレの場所やトイレの便器が認知できなかったりして、排泄動作ができずに衣類や下着を濡らしてしまうことがあります。

　また、排泄の介助をしようとすると、大声を出して抵抗したり、スタッフに手を振り上げる、つねる等攻撃的な行動や言動をとったりすることがあります。

＊ BPSD…認知症の行動・心理症状の略

### ここを Pick UP

✔ 認知機能障害があると、今まで当たり前にできたことができなくなる。記録の際は、できない事実だけでなく、その過程や原因にも着目する。

✔ 介護に対する抵抗や攻撃的行動・言動も、認知機能障害が原因なので、問題行動という結果だけでなく、それに至る過程にも着目する。

## 伝わる記録 Good!

　山本さんは、夕食後に廊下で尿失禁してしまう。❶トイレの場所が分からず間に合わなかった様子。更衣を勧めると、「自分でするから大丈夫」と抵抗する。本人の自尊心や羞恥心に配慮し、❷時間をおいてから更衣の声かけを女性スタッフの田中が行う。「具合の悪いところはないですか？」と聞くと、「服が濡れている。おかしい」と言う。新しい衣類を用意すると、自分で着替え始めることができた。

> **1** 単なる失禁とせずに、失禁に至った経緯を、時間・場所・状況を含めて書いているのでGood。

> **2** 失禁してしまった気持ちを考えた対応と声かけで本人の心理に働きかけているのでGood。

認知障害・行動障害

## 伝わらない記録 Bad...

　山本さんが、トイレに間に合わずに尿失禁した。更衣のために介助しようとすると、抵抗し、更衣を拒否した。

> 起こったことや結果のみを記録するのではなく、利用者のとった行動の理由や背景を考察し、よりよい介護につながるようにしましょう。

第2章 お役立ち文例集

## 行動障害 の観察ポイント

### 不安・焦燥による多動はないか?

- 不安が強く、不穏な状態が続く
- 不安が強く多動である

### 異食はないか?

- 異物を食べた
  ⇒口腔内の確認
- 異物を口に詰め込んでいた

### 不潔行為はないか?

- 排便後、便をもて遊んでいた
- 便を紙に包んでポケットに入れていた

### 徘徊はないか?

- 自分で水分・休憩をとることができない
- 安全の確保・所在の確認

文例

## 不安・焦燥による多動 はないか?

▶「何も分からない」「困った」と**不安な様子で廊下を行き来している**。声かけをすると「出口を教えてほしい」と言う。一緒にベンチに座って話を聞く。
▶ 居室や廊下の物品を持ち出している。しばらく様子を観察する。不安な心情が行動に表れている様子。

## 異食 はないか?

▶ 大木さんが口を動かしているので、口腔内を確認すると花びらのようなものが出てきた。食堂に飾ってあった生花を口にしたようだ。医療職に連絡する。
▶「田村さんがティッシュを口に入れている」と他の利用者が言ってきた。口の中を確認すると、ティッシュペーパーが出てきたため看護師に連絡した。

## 不潔行為 はないか?

▶ 居室に行くと、川口さんの手が便で汚れている。手指を洗浄し消毒する。確認すると、下着に便が付着していた。自分で拭こうとして手についてしまった様子。
▶ ポケットが膨らんでいるので、確認するとティッシュに包まれた便が出てきた。**本人は捨てることを拒否したが**、一時預からせていただくということで納得してもらう。手指を洗浄し消毒する。

## 徘徊 はないか?

▶ 歩行時、**身体が左に約30度傾いており**、本人は「腰が痛い」と言う。サンルームのベンチで休憩をとるように促して、医療職に報告する。
▶ 増沢さんの発汗が著しい。**30分程度歩いている**ため、休憩を促して水分補給を行う。増沢さんの歩行について、経過観察及び検討が必要。

認知障害・行動障害

## ケーススタディ 行動障害

西川さんはアルツハイマー型認知症で、徘徊と異食の行動障害があります。介助がなければ、終日廊下を歩いている状態です。

理由を尋ねると、「分からないね」「そうだよね」と返答し、歩く目的や理由等は分かりません。

さらに、西川さんは失認により対象物が認知（認識）できないので、目に留まったものをすぐに触ったり、口に入れたりします。先日も、食堂にあったティッシュペーパーを口の中に入れてしまいました。

### ここを Pick UP

- ✓ 歩くのを無理に制止する必要はないが、歩きすぎにより身体に悪影響を及ぼす恐れがあるので注意する。

- ✓ 失認は、危険なもの（火）や汚いもの（便）に触れたり、食物でないものを口に入れてしまったりするので注意が必要。

## 伝わる記録 Good!

　食堂にいた西川さんが、口にティッシュペーパーを入れていたので、❶「何を食べているのですか」と静かに尋ねた。吐き出そうとしないので「おいしそうですね、私にもください」と笑顔で手を差し出すと、西川さんは「まずいよ」と言いながら手の上に吐き出した。

　口に入れたのは、ティッシュペーパー1枚のみで、飲み込んではいない。❷医療職に報告する。

**1** 異食行為には、慌てず、騒がず、穏やかな口調で対応するのが原則なのでGood。

**2** 誤嚥やけががなくても、このような事例は、医療職へ報告し情報を共有するのが大事なのでGood。

## 伝わらない記録 Bad...

　西川さんが、ティッシュペーパーを食べてしまった。吐き出すように言い、出してもらう。

> ティッシュペーパーを口から出してもらうまでの過程を具体的に書きましょう。なお、異食の場合、大きな声や無理な対応は本人が興奮して口を閉じたり、誤嚥につながったりする恐れがあるので、注意しましょう。

認知障害・行動障害

# 体調・気分の変化

高齢期における体調・気分の変化は、人それぞれで、一定の傾向はありません。体調等の変化を早期に発見するには、普段の状態をしっかり把握しておくことが重要です。

## 体調・気分の変化 の観察ポイント

### 身体に**熱感**はないか？
- ☑ 身体が熱く感じる
  ⇒バイタルチェック
- ☑ 口腔内が乾燥気味、または乾燥している

### **排尿**や**排便**に変化はないか？
- ☑ 尿の色に変化がある
  （赤みがかっている）
- ☑ 便に血液が付着している

### **食欲**はあるか？
- ☑ 食が進まない
- ☑ 食器を持ったまま食べようとしない

### **会話**（発言）や**口調**等に変化はないか？
- ☑ 声や会話の調子が普段と違う
- ☑ 興味のあるものに反応しなくなった

文例

### 身体に**熱感**はないか？

- 排泄介助の際、身体に触れると**熱感がある**。体温を測ると**37.9度**ある。医療職に連絡する。クーリング、水分補給（**約200ml**）を行う。
- 朝の介助時、大賀さんの**口唇、口腔内が乾燥している**。医療職に連絡する。バイタルを測定したが特段の異常はなかった。継続して観察を行う。

## **排尿**や**排便**に変化はないか？

- 排泄介助の際、**尿が赤みがかっている**。体温を測ると**38.1度**ある。医療職に連絡する。排尿チェック表を準備し、記録を開始する。
- 排泄介助の際、**便に鮮血が付着している**。医療職に連絡する。来週の月曜日に、病院で内視鏡検査をすることになった。

## **食欲**はあるか？

- 昼食の際、**主菜を2、3口食べたのみ**で食事をやめてしまう。バイタル異常なし。医療職に連絡する。その後の経過や様子の追記を継続して行う。
- ご飯茶碗を持ったまま**ボーッとしている**。「どうしましたか」との**声かけにも反応が鈍い**。食事を見合わせ居室で静養させる。医療職に連絡する。

## **会話**（発言）や**口調**等に変化はないか？

- 下崎さんが、**いつも夕方に行っている廊下のカーテンを閉める作業を行わず**、食堂のいすに座っている。隣に座り、カーテンの話題を出すと「何で私が閉めなきゃいけないのよ！」と**興奮がみられた**。様子を観察し、継続して記録を行う。

体調・気分の変化

## ケーススタディ 体調・気分の変化

　星野さんは78歳の男性で、脳梗塞の後遺症により左片麻痺があります。左手を使った生活動作や歩行に障害がありますが、ADL等、身の回りのほとんどのことは自立しています。

　おおらかな性格の星野さんですが、先日の排泄介助時に「ここしばらく、便に血が混じっていて気分がよくない」と心配そうでした。排泄動作は、ほぼ自立しており、本人から申し出もないことから、便の性状の変化に気づけませんでした。検査入院の結果、初期の大腸がんと診断されました。

### ここを Pick UP

- ✔ 自立度の高い利用者の中には、体調の変化の判断や伝えることが苦手な方もいるので、日頃から留意して観察する。

- ✔ 排泄動作の自立度が高い場合、便は、本人が流してしまうことが多いので、声かけ等で便の性状を確認する。

## 伝わる記録

星野さんに声かけをすると、❶「ここしばらく便に少し血が混じっている。気分がよくない」と言う。病院での検査の結果、初期の大腸がんであった。《告知はしていないので、会話には要注意！》

以後、❷星野さんには、今後の対応が決まるまで、医療職と連携しながら、毎日、出血の状況、体調等の変化、食事や排泄の状況等につき、スタッフが様子観察・聞き取りを行うこととする。

> **1** 状況発生の様子が詳しく書かれていてGood。今回のように、ちょっとした声かけでも、病気の早期発見のヒントになります。

> **2** その後の対応が記録されているのでGood。今回のようなケースでは、慎重な対応が求められるので、情報管理や倫理面にも気を配りましょう。

## 伝わらない記録

星野さんが「ここしばらく便に血が混じっている」と言う。医療職に連絡する。検査後、大腸がんと判明。

> 計画的な対応ができるよう、介護の状況や経過だけではなく、その後の対応等も記録するようにしましょう。

# 余暇と余暇活動

余暇の行動を観察することは、心身の状態をチェックする好機です。さりげなく行動を観察し、普段と様子が異なっていたら、声かけをしてみましょう。

## やすらぎ中 の観察ポイント

### 表情・会話はどうか?

- ☑ 穏やかな表情をしている
- ☑ つまらなそうな表情をしている

### どのような行動をとっているか?

- ☑ 自分で行動している
- ☑ 人とかかわろうとする
  ⇒介助の仲立

### やすらぎ中の姿勢はどうか?

- ☑ 正しく座れない
- ☑ ゆっくり歩いている

+α 生活習慣からくる座り方は、人それぞれなので、その人に適した座席を工夫する

### 個人の時間の使い方はどうか?

- ☑ 有効に使っている
- ☑ 持て余している

文例

## 表情・会話はどうか？

- **穏やかな表情**で他人の行動を見ている。また、外の景色に目をやることもある。**他人を見たり、季節感を感じたりすることに喜びを感じている**と思われる。
- **厳しい顔つき**をしているので、「どうなさいましたか」と尋ねると、「あそこにいる人が気に入らないの」と指を指すので、目に入らない位置まで移動してもらった。

## どのような行動をとっているか？

- 木津さんは、夜の自由時間を、本を読んだり、編み物をしたりと自主的に過ごしている。
- ひとりで過ごすのではなく、**誰かとかかわり合いたい様子**。何気ない会話をするだけでも、楽しそうにしている。

## やすらぎ中の姿勢はどうか？

- 自宅での生活姿勢をアセスメントすることで、施設内でも適切な姿勢が保持できるように介助する。
- **足腰の弱さを自分でも認識しているよう**だが、歩行については観察が必要である。

## 個人の時間の使い方はどうか？

- 今村さんが、今日はひとりでポツンといすに座っている。友達とけんかをしたとのこと。経過を観察する。
- 自由時間になると、いつも居室に戻ってしまう。最近、生活意欲も低下しているので、気分転換に余暇活動への参加を勧めた。

## ケーススタディ やすらぎ中

　昭和12年生まれの安西さんは、脳梗塞の後遺症による左片麻痺と軽い言語障害があります。最近は軽い認知症の症状がみられるようになってきました。

　安西さんは、他の利用者との交流が苦手で、食後はほとんどひとりで過ごしています。特に、最近、女学生時代の親友が亡くなってから、思い出すたびにふさぎ込んでしまうようになりました。

　スタッフのヒアリングにより、その親友とは、コーラスに参加したり、流行歌等の音楽を聴いたりして過ごしていたことが分かりました。

### ここを Pick UP

- ✔ 障害や症状にかかわらず、生きてきた背景を知ることは、個別支援の考え方に立つ生活支援技術の基本である。

- ✔ ときには、時代的背景を調べ、利用者の好みを把握し、個別支援の計画を立てることも大切。

## 伝わる記録

Good!

　安西さんは、日頃から食後はひとりで過ごしているが、そのことには抵抗感がない様子だった。
　❶BGMに若い頃流行した音楽が流れていれば、少しでも楽しい時間を過ごしてもらえるのではないかと思い、「どんな音楽がお聴きになりたいですか」と聞いてみると、❷即座に「ロカビリーがいいわ。とてもすてきなのよ」と言ってにっこりと笑った。

> **1** 年齢から、青春時代の文化的背景を読み取っているのでGood。今後は、若い頃の話を聞いてみましょう。

> **2** 会話の内容から、生きてきた背景も想像できるのでGood。今後は、もっと時代背景についてスタッフ間で学習しておきましょう。

## 伝わらない記録

Bad...

　安西さんは、ひとりで過ごすことを好んでいるようだ。

> 本当にひとりが好きなのでしょうか。推測ではなく、まずは声をかけて確認してみましょう。

## レクリエーション の観察ポイント

### 表情・会話 はどうか?
- ☑ にこやかな表情をしている
- ☑ 無表情である

### 行動・しぐさ はどうか?
- ☑ 積極的に参加している
- ☑ 日常と異なる様子

### 協調性・気配り はどうか?
- ☑ 自分の居場所がある
- ☑ 落ち着きがない

### 仲間との人間関係 はどうか?
- ☑ 会話がはずんでいる
- ☑ 孤立している
  ⇒原因を確認

文例

## 表情・会話はどうか?

- 「楽しいですか」と声かけをすると、にっこりと笑って**「今日は大勢の方と過ごせて楽しいわ」**と答えてくれた。
- **厳しい顔つき**なので、「どうなさいましたか」と尋ねると、**「今日のプログラムが面白くないの」**と言う。今後は何がしたいかを聞きつつ、「無理して参加しなくても大丈夫ですよ」と伝えたら落ち着きを取り戻した。

## 行動・しぐさはどうか?

- 今日の午後、グループ内で風船バレーを行った。渋谷さんは**初めての参加だが、非常にうまくアタックをしていた**。聞くと、バレーボールの経験があるとのこと。
- クリスマスに向けて飾りを作った。星やロウソクの形の飾りを作りながら、孫へのプレゼントを何にするかの話題で盛り上がっていた。

## 協調性・気配りはどうか?

- 金沢さんは、レクリエーションをする際、**いつもみんなの先頭に立って行動**してくれる。今日の輪投げのプログラムのとき、「さあ、がんばりましょう」と同じチームのメンバーを励ましていた。
- 月に1回のカラオケ大会を行った。みんなが一緒に歌い、手拍子をしている中で、**石田さんだけがリズムに乗れず、ポツンとひとりで立っていた。**

## 仲間との人間関係はどうか?

- まだ入所して間もないので、レクリエーションの内容が理解できずに**戸惑っている様子**がみられた。同じ居室の平野さんを見つけ、「教えてもらえますか」と**話しかけていた**。少しずつだが、施設内での人間関係が構築されているようだ。経過を観察。

余暇と余暇活動

## ケーススタディ レクリエーション

　松本さんは、脳血管障害の後遺症により、両下肢麻痺になり、車いすを使用しています。

　手先が器用で、模型作りや書道等の腕前はプロ並みです。おとなしい性格のせいか、あまり積極的に話に加わろうとしません。しかし、たまたま友人の稲葉さんに誘われて、折り紙教室に参加してみることになりました。

　そこで、持ち前の器用さを発揮し、難易度の高い恐竜をただひとり完成させました。周りの人から「すごーい」と歓声がわき、本人は満足そうです。

### ここを Pick UP

- ✔ 手先を使うことで、生活意欲を向上させる支援方法はないか考える。

- ✔ レクリエーション活動を通じて、その人の個性や魅力を引き出すようにサポートする。そのためには、日頃の観察が重要である。

## 伝わる記録 　Good!

　松本さんは、脳血管障害の後遺症で、両下肢麻痺になり、車いすを使用している。❶おとなしい性格で、人と話すことが少ない。生活意欲の向上にと、レクリエーションの参加を促すが、「私は結構です」と断られている。❷今日は、友人に誘われて折り紙教室に参加したところ、難易度の高い恐竜をただひとり完成させ、脚光を浴びていた。これがよいきっかけになればと思う。

**1** 日頃の観察から課題を見つけ、解決を図ろうとしているのでGood。ただ、手先が器用という情報も入手できていればよりGood。

**2** 手先の器用さがより具体的に分かるのでGood。レクリエーションには、利用者の個性を発揮させる役割があります。

## 伝わらない記録　Bad...

　松本さんは、両下肢麻痺になり、車いすで生活している。今日は、折り紙教室に参加した。

折り紙教室で起こった出来事についても書きましょう。ちょっとしたきっかけでも今後の介護に活かすことができます。

# 送迎

送迎中は、予期せぬ出来事が起こりやすいものです。常に車中での利用者の様子に気を配り、トラブルの際には、臨機応変に対応できるよう準備しておきましょう。

## 送迎 の観察ポイント

### 席順はどうか?
- ☑ 乗降の順番に配慮した座席配置
- ☑ 利用者同士の相性への配慮

### 持ち物の確認はできているか?
- ☑ 荷物の受け渡し
- ☑ 案内状等の配付物

### 家族とのコミュニケーションはどうか?
- ☑ 緊急連絡先の確認
- ☑ 利用時・在宅時の様子の変化

### 安全に配慮しているか?
- ☑ 運転中の確認
- ☑ 乗降中の確認

**文例**

## 席順はどうか?

▶ 初利用の坂東さんは、紹介者の酒井さんを車中に見つけると、**安心した様子**で車に乗り込んだ。

▶ 中井さんは、車いすを利用しているが、乗車中、「**今日はいつもより揺れるね**」と訴えがあった。停車し、車いすの固定状態を確認したところ、フックが緩んでいたので締め直した。乗車時の安全確認の徹底が必要。

## 持ち物の確認はできているか?

▶ 入浴後の着替え用の下着がなかった。**荷物に入っていなかったこと、デイサービスの予備を貸し出したこと**を連絡帳に記載し、家族に報告した。

▶ 昼食後に内服するはずの薬がなく、家族に連絡すると、「入れ忘れた」とのこと。届けてもらえるかどうか確認し、持参していただいた。

## 家族とのコミュニケーションはどうか?

▶ **家族から、物忘れについて対応に困っているという相談を受けた**。デイサービスでも**同様の症状がみられる**ため、担当ケアマネジャーに連絡した。

▶ 納涼祭の案内を利用者の家族にお配りしたところ、納涼祭当日、多くの利用者の家族が参加してくれた。一緒に参加した利用者もうれしそうにしていた。

## 安全に配慮しているか?

▶ 1時間ほど乗車していた森崎さんが、**足がしびれたことが原因で**、降車時にふらついて転倒しそうになった。足を伸ばせるような座席への変更が必要である。

▶ 運転中、前の車のブレーキに気がつき、慌ててブレーキを踏んだため、急ブレーキとなってしまった。後部座席の田上さんに声をかけ、無事を確認した。

送迎

## ケーススタディ 送迎

　稲川さんには片麻痺があり、そのリハビリのため、デイケアを利用しています。稲川さんの自宅は施設から遠いので、送迎車を利用しています。

　片麻痺の状態は、足に強いしびれがあり、短下肢装具を使用しています。足の曲げ伸ばしが自由にできないので、一番乗降しやすく、足が伸ばせる席に乗っていただいていますが、降車時には「足がとても痛い」と訴えがあります。

　乗車前には訴えがないので、家族に確認すると、「デイケアの日は足の痛みが強まるようだ」とのことでした。

### ここを Pick UP

- ✔ 体調により、長時間の乗車ができない利用者もいる。距離だけでなく、体調も考慮したうえで、送迎の順番を考える必要がある。

- ✔ 出発時に痛みがないのであれば、運転中の振動等が原因となっている可能性がある。振動の少ない道路や運転方法を検討する。

## 伝わる記録 Good!

　降車時、稲川さんは「足がとても痛い」と訴え、歩きづらそうだった。❶痛みの原因を確認したところ、「車が揺れるときに足がぶつかる」とのこと。送迎中は、交通ルールを遵守していたが、道路状況の把握やブレーキのかけ方までは、配慮できていなかったことに気づいた。
　❷今日の申し送りで、稲川さんの件を報告し、運転方法や講習会の開催について検討した。

> **1** 痛みの原因を確認しているのでGood。利用者は、体調に変化を生じやすい状態であることに注意しましょう。

> **2** 事故防止のためだけでなく、よりよいサービス提供のための具体的な方法が記されているのでGood。

## 伝わらない記録 Bad…

　稲川さんは送迎中に足が痛いと訴えた。家族に報告し、様子観察を依頼し、受診を検討するように話した。

> 痛みの原因をはっきりさせてから、受診を勧めたほうがよいでしょう。ケアマネジャーや医療職との情報共有、連携も必要です。

# 起床

起床時には、利用者の覚醒状態はもちろん、気温や姿勢の変化がもたらすバイタルサインの変化にも注意が必要です。利用者が気分よく起きるための配慮も忘れずに。

## 起床 の観察ポイント

### 声かけに対する反応はどうか?

- ☑ 意識ははっきりしている
- ☑ 体調に変化はない

**+α** 起床時には、声かけと同時に顔色や声の調子、目覚めの状態等の観察が重要

### 起き上がりの介助は必要か?

- ☑ 自分で起き上がれる
- ☑ 起き上がりの介助が必要
  ⇒福祉用具の必要性

### 排泄の介助は必要か?

- ☑ 尿意・便意がある
- ☑ おむつ交換・トイレ介助の実施

### 室内の環境はどうか?

- ☑ 室温は一定に保たれている
- ☑ 朝日が入ってくる

**文例**

## 声かけに対する反応はどうか?

▶ 起床時間に「おはようございます」と声をかけたところ、目を開け、「おはよう」と返事があり、「水が飲みたい」と訴えがあった。

> **➡ もっと詳しく**
> - 顔色もよく、声の調子もよい。
> - 口の渇きがある様子。水分摂取。

## 起き上がりの介助は必要か?

▶ 起床時間に居室に向かったところ、**ベッドサイドに座って待っていた**。「車いすに乗せて」とのこと。

▶ いつも起床時間になると、起きて待っているが、今日は寝ている。声をかけると**「夜中に目が覚めて眠れなかった」**とのこと。朝食までベッドで休んでもらう。

## 排泄の介助は必要か?

▶ 起床介助のためにおむつ交換を行ったが、**背中に発赤がみられた**。ひどくならないよう、申し送りで報告し、体位交換を適切に行うことを確認した。

▶ 起床介助時、おむつから尿漏れがあった。おむつ交換と同時に清拭・更衣・リネン交換を実施した。

## 室内の環境はどうか?

▶ 居室のカーテンを開け、声をかけると「朝かい?」とベッドから声がした。「そうです。いい天気ですよ」と答えると「起こして」と起床介助を依頼された。起床準備をする。

▶ **居室内が寒かった(暑かった)**ので、暖房(冷房)をつけ、**室内の温度調節をしてから起床介助**を行った。

## ケーススタディ 起床

保谷さんには、夜間不眠の訴えがあり、眠れないときのために睡眠薬が処方されています。昨日も、23時に睡眠薬を服用しています。

今日は、起床時間になっても、まだ寝息を立てて眠っていたので、朝食前まで休んでもらい、声かけによって起床を促しました。

起床確認後、保谷さんには、身支度をしてホールで朝食を食べてもらうように話し、居室を出ました。しかし、保谷さんがホールに来なかったため、再度居室を訪問すると、ベッドで眠っていました。

### ここを Pick UP

- ✔ 睡眠薬の服用方法やその効果は、眠りの質や起床に影響を及ぼすことがある。転倒の原因にもなるので、覚醒状態を確認する。

- ✔ 起床がスムーズにできない場合、食事・運動・排泄・服薬・睡眠の状態等、生活全体を見直し、原因を解決する必要がある。

## 伝わる記録 Good!

　7時になっても、保谷さんが起きてこないので、居室を訪問。「おはようございます」と声をかけたが、❶「今日は眠い」と目覚めないので、起床を促し、起き上がりを介助して居室を出た。

　しかし、ホールに来ないので、再度居室に行くと、また眠っていた。無理に起こさずそのまま休んでもらったが、❷睡眠薬の効果が強くでている可能性もあるため、原因の把握と介助方法の検討等が必要。

> **1** 起床を促したときの様子が書かれていて、今後、保谷さんの状態について検討が必要になったときの資料となるのでGood。

> **2** 申し送る事項、検討する必要性がある事項等も記録に残しているのでGood。

起床

## 伝わらない記録 Bad...

　保谷さんを起こしに行ったが、なかなか起きられないので、そのまま寝てもらった。

> 睡眠薬使用についての検討材料となるので、保谷さんの状態や介助内容をしっかり記録しておきましょう。

第2章 お役立ち文例集

# 夜間・睡眠

睡眠は、心身の健康を維持するために欠かせません。日中の体調や精神状態も睡眠に影響するため、睡眠中だけでなく、日中の変化にも気を配りましょう。

## 夜間・睡眠 の観察ポイント ①

### 睡眠中の様子はどうか?

- ☑ 睡眠状態の確認
- ☑ 呼吸・寝返り・いびき・うわごと

+α いびきをかいているときは、睡眠状態が悪い場合がある。呼吸状態に応じ体位変換等の介助が必要

### 排泄はどうか?

- ☑ 失禁がある
  ⇒着替え、おむつ交換
- ☑ 夜間のトイレ介助
  ⇒覚醒状態確認

+α おむつ交換では室温に、トイレ介助ではふらつき、照明に注意が必要

### 体調はどうか?

- ☑ 心身状態の変化
- ☑ 適正な薬の内服・塗布

文例

## 睡眠中の様子はどうか？

- 巡回時には、「**スースー**」とリズムのよい呼吸が聞こえる。安眠している様子。
- **布団を蹴飛ばして**寝ている。暑いのか、**寝返りを頻繁にしている**様子。室温を調節し、薄い掛け布団をかけ直し、様子をみる。

### ➡ もっと詳しく

- 一定のリズムで呼吸しており、巡回時の物音にも目を覚ますことなく眠っていた。
- 軽いいびきをかいていたので、体位変換を行う。横向きに休んでもらい、経過観察を継続した。

## 排泄はどうか？

- 就寝前に排泄を済ませたが、1時頃コールでトイレ介助を依頼された。本人の覚醒状態を確認してトイレに誘導した。
- 1時頃、「寒い」と起きてきたが、失禁しており、**下半身が裸だった**。温かいタオルで清拭を行い、着替え・リネン交換をして、就寝してもらった。

## 体調はどうか？

- 23時頃、「**家に帰りたい**」と廊下を行き来している。就寝時間であることを伝え、居室に誘導しようとしたが、さらに「**ここから出せ！**」と興奮してしまった。
- 22時15分、コールで「**身体がかゆくて眠れない**」と訴えがあった。かゆみどめの軟膏が処方されていたので、塗布して様子をみた。申し送り実施。

## 夜間・睡眠 の観察ポイント②

### 巡回時の観察と環境の調整はどうか?
☑ 利用者から訴えがある
☑ 室温・換気・湿度・照明等

### 具合が悪い人はいないか?
☑ 意識状態が低下している
☑ 発熱・下痢・嘔吐

+α バイタルサインの確認は医療職の職務だが、家庭用測定器を使用し、脈や呼吸の状態を把握することは大切

### 事故の対応は適切か?
☑ 転倒・転落
☑ 自傷行為

+α 自傷行為を発見したら、ひとりではなく複数のスタッフで対応することが重要

文例

## 巡回時の観察と環境の調整はどうか?

- ▶21時に巡回したところ、山瀬さんが起きていて、**「眠れない」と訴える**。一度離床してもらい、温めたミルクを飲んでもらう。気持ちが休まったところで就寝してもらった。その後、0時の巡回では、寝息を立てて眠っていた。
- ▶巡回時、**「廊下の電気が明るくて眠れない」と訴え**があった。照明を落としたところ、寝ついたようだ。

## 具合が悪い人はいないか?

- ▶巡回時、**呼吸音が弱い**ことに気づき、呼びかけたが、反応がなかった。体温や血圧を測定し、医師(看護師)に連絡して指示を受けた。
- ▶おむつ交換時に、中田さんの**身体が熱い**ことに気づく。検温したところ、**37.5度**の発熱があった。頭を冷やし、経過を観察した。

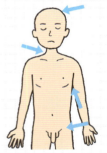

クーリングは、体外から冷やし、熱を下げる方法。頭部・腋窩部・鼠径部等を冷やす。なお、急激に冷やしすぎると、体温低下が起こり、ショックを引き起こすことがある。

## 事故の対応は適切か?

- ▶居室から**物音がしたので、確認に行くと**、坂本さんが**ベッド右下の床にうつぶせ状態で倒れ、右前額部から出血**していた。全身観察、意識の確認等を行い、他のスタッフに応援を頼み、医師(看護師)に連絡した。
- ▶巡回時、**睡眠薬の多量摂取と思われる形跡が見つかった**ため、救急車を手配した。就寝前に渡していた薬を集めて、一度に10錠ほど飲んだと考えられる。服薬確認の徹底が必要。

## ケーススタディ 夜間・睡眠

　井上さんは下肢筋力の低下があり、日中はスタッフの介助でトイレを利用しています。夜間はトイレ誘導をしてから就寝してもらい、就寝中はコールによりトイレ誘導をしています。

　0時頃、井上さんから「トイレに行きたい」とコールがありました。他の利用者の対応中だったため、少し待ってもらい、5分後に居室に行くと、井上さんは、ベッドサイドに座り込んで、失禁していました。

　自分でトイレに行こうとベッドから降りたところで尻もちをついたようです。

### ここを Pick UP

- ✓ 夜間は、利用者の体調や状況が急変しやすい。スタッフも少なく、対応できることも限られるので、適切な対応を考える必要がある。

- ✓ 排泄は生理的欲求なので、我慢することは難しい。夜間でも安全に排泄できる方法を検討する必要がある。

## 伝わる記録 Good!

❶ 0時10分、井上さんからコールがあり、「トイレに行きたい」と依頼あり。他の利用者対応中であったため「5分待ってください」と伝えた。

5分後に居室へ行くと、ベッドサイドに座り込んで失禁していた。「トイレに行こうとして転んでしまった」と落ち込んでいる。けがの有無を確認し、清拭・着替えを済ませ就寝してもらう。❷安全のため、夜間の排泄はポータブルトイレの使用を検討。

**1** 井上さんとのコールでの会話が、時間とともに記録されていて、転倒時の状況が判断できるのでGood。

**2** おむつやポータブルトイレの導入も考えられますが、介助方法を変更する場合には、本人の了解を得てからにしましょう。

## 伝わらない記録 Bad...

0時頃、井上さんからのコールでトイレ介助の依頼があった。居室に行くと、井上さんが座って、失禁していた。着替えをして休んでもらった。

井上さんにとって、失禁は精神的ダメージです。排泄に対し消極的にならないよう配慮が必要です。表情や訴えの内容も具体的に記入しましょう。

# 感染予防

感染力が非常に強いインフルエンザ等の感染症では、施設内の集団感染にも気を配らなければなりません。予防が最優先ですが、感染した際は、その拡大防止のため、冷静な対応が必要です。

## インフルエンザ の観察ポイント

### 予防対策は適切か？

- ☑ ワクチン接種を行う
- ☑ うがいや手洗いを徹底する

### 患者への対応はどうか？

- ☑ 水分を十分に補給する
- ☑ 患者に対応
  ⇒マスクや手袋等を着用

### 感染拡大の防止は十分か？

- ☑ 感染経路の特定を行う
- ☑ 施設内の換気や温度管理を行う

### スタッフ間の連携はとれているか？

- ☑ 患者の情報を共有できている
- ☑ 医療職との協力体制ができている

文例

## 予防対策 は適切か?

- 今年は、例年以上にインフルエンザが流行すると予想されている。施設には、体力の弱った利用者もいるので、予防接種を行う必要がある。
- スタッフのひとりが、インフルエンザに感染した可能性がある。利用者への感染を防ぐため、就業を制限することにした。

## 患者への対応 はどうか?

- 星さんが、**突然38.5度の熱**を出した。受診の結果、インフルエンザと診断。直ちに入院することになった。
- インフルエンザの感染が発覚してから、頭痛や腰痛、全身の倦怠感を訴え続けている。こまめに水分を補給しつつ、熱や痛みを緩和する対症療法を行った。

## 感染拡大の防止 は十分か?

- インフルエンザは、**空気感染や飛沫感染によって拡大することを説明し**、しばらくの間、入所者全員にマスクを着用してもらうことにした。
- **朝から38度台の高熱が続き、深夜、嘔吐した**。嘔吐物から感染が広がる恐れがあるので、ペーパータオルで拭き取り、消毒薬でしっかり消毒した。

## スタッフ間の連携 はとれているか?

- 今日だけで、3人の入所者にインフルエンザの感染が発覚した。施設に定められたマニュアルに従い、直ちにスタッフが集まって対策を話し合った。
- **夜になり、熱が38.2度まで上がる**。それ以外に自覚症状はなく、意識もあるが、いつでも主治医に連絡をとれるようにして経過を見守る。

感染予防

## ケーススタディ インフルエンザ

　松岡さんは、インフルエンザと診断され、入院することになりました。当初は39度の高熱と全身の倦怠感に苦しめられましたが、小康状態を迎えてからは、お見舞いに来た家族に「早く退院したい」と愚痴をこぼしていました。

　退院後、松岡さんは、さっそく、レクリエーションへの参加を希望しましたが、まだ体調が回復しておらず、二次感染の恐れもあるため、マスクの着用をお願いしました。松岡さんは「マスクは息苦しいから嫌なのに」と不服そうな様子です。

### ここを Pick UP

- ✔ 面会ができるようになった時点で、お見舞いに行くのはよい。ただし、感染しないようマスクをする等の配慮が必要である。

- ✔ 利用者の独断で「治った」と判断してしまうと、体調の悪化や二次感染につながる恐れがあることを理解してもらう。

## 伝わる記録 Good!

　インフルエンザで6日間入院していた松岡さんが退院した。❶少しやせたものの、顔色はよい。

　さっそくレクリエーションへの参加を希望したが、医師によると、まだ体調が万全ではないとのこと。また、二次感染の恐れもあるため、マスクの着用をお願いした。

　それに対して松岡さんは❷「マスクは息苦しいから嫌なのに」と不服そうだった。

**1** 退院後の様子が具体的に書かれているのでGood。今後は、体重が戻るような、栄養のある食事メニューを考えてみましょう。

**2** 不満そうな様子が伝わってくるのでGood。利用者に納得してもらえるように、マスクの必要性をきちんと説明しておきましょう。

## 伝わらない記録 Bad...

　インフルエンザで入院していた松岡さんが、退院した。マスクをつけるようお願いしたが、嫌がった。

どのような状況でマスクをつけるようお願いしたのかが不明です。また、なぜマスクを嫌がったのか、理由も書くようにしましょう。

# ノロウイルス の観察ポイント

## 予防対策は適切か?
- ☑ 健康診断を定期的に行う
- ☑ 食材を十分に加熱する

## 患者への対応はどうか?
- ☑ 脱水症状にならないよう、水分を補給する
- ☑ 発熱、下痢、嘔吐等がある

## 感染拡大の防止は十分か?
- ☑ うがいや手洗い、マスク着用を再度徹底する
- ☑ 集団感染の可能性
  ⇒医療職や保健所に相談

## スタッフ間の連携はとれているか?
- ☑ 患者の情報を共有できている
- ☑ 医療職との協力体制ができている

文例

## 予防対策は適切か?

▶ ノロウイルスが流行しており、入所者が不安感を持っている。調理に使った器具は、熱湯で消毒し、洗剤で洗っているので**問題ないことを説明した。**

▶ 普段から、うがいや手洗いを習慣にしてもらっているが、ノロウイルスの流行が報じられているので、改めて徹底をお願いした。

## 患者への対応はどうか?

▶ ノロウイルスに感染したが症状は出ず、微熱で済んでいる。それでも便中には大量のノロウイルスが存在することを説明し、トイレの際はひと声かけてもらうことにした。

▶ ノロウイルスに感染後、激しい下痢が続く。「下痢止めの薬が欲しい」と言われたが、**止痢剤はウイルスを体内に在中させ、回復が遅くなることを説明し、納得してもらった。**

## 感染拡大の防止は十分か?

▶ ノロウイルスに感染した利用者から「水が飲みたい」と内線電話があった。感染の拡大を防ぐため、手袋、エプロン、マスク、メガネを着用して部屋に行き、対応した。

▶ ノロウイルスの集団感染が疑われるため、床や手すり、調理器具、トイレの便座等を**次亜塩素酸ナトリウムで消毒し**、水拭きを行った。

## スタッフ間の連携はとれているか?

▶ 施設内で、ノロウイルスの集団感染が発生した。同じことを繰り返さないために、**感染経路を特定すべく、スタッフでミーティングを行った。**

▶ 便や嘔吐物からノロウイルスの感染が拡大することも考えられるので、スタッフだけでなく、医療職にも参加してもらい、**適切な処理の方法を改めて確認し合った。**

感染予防

## ケーススタディ ノロウイルス

　武藤さんは、3日前から嘔吐を繰り返していました。もともと胃腸が丈夫ではなく、普段から嘔吐することが少なくありませんでしたが、担当スタッフが、念のため医務室に連絡しました。

　診断の結果、便から大量のノロウイルスが検出されました。本人は「いつもと違って身体がだるかった気がする」とは言うものの、明確な自覚症状はありませんでした。

　現在のところ、症状は重篤ではありませんが、二次感染の恐れもあるため、本人の同意を得て、入院してもらいました。

### ここを Pick UP

- ✓ 「嘔吐はいつものことだから」と見逃していては、症状が重篤化することがある。少しでも異変を感じたら、医療職に連絡する。

- ✓ 強制的に入院させると、利用者との信頼関係が成り立たない。本人の同意を得るため、十分に説明する必要がある。

## 伝わる記録 Good!

　武藤さんは、この3日間嘔吐を繰り返していた。嘔吐自体は珍しくないが、❶36.8度と普段より熱が高く、便も軟らかい。念のため医務室に連絡した。診断の結果、ノロウイルスに感染していた。

　本人は「身体がだるい気がする」と言うが、他に自覚症状はなく、入院を嫌がった。しかし、嘔吐物や便から感染が広がることを説明すると、❷「みんなに迷惑はかけられない」と入院を了承してくれた。

> **1** いつもとどう違うかが具体的に書かれていてGood。普段と違うことがあれば、ささいなことでも記録する習慣をつけましょう。

> **2** 利用者の心情が感じ取れるのでGood。本人がどのような気持ちで入院したのかをスタッフで共有できれば、今後に活かすこともできます。

感染予防

## ✗ 伝わらない記録 Bad...

　武藤さんが嘔吐を繰り返すので、医務室に連絡。ノロウイルスに感染。そのまま入院させた。

> なぜこの日は医務室に連絡したのか、理由を明記する必要があります。また、入院時にどんな会話があったのかも記録するようにしましょう。

# O157 の観察ポイント

## 予防対策は適切か?

- ☑ 調理や介助の前に必ず手洗いする
- ☑ 予防対策を保健所に相談する

## 患者への対応はどうか?

- ☑ 脱水症状にならないよう、水分を十分に補給する
- ☑ 医師の診断に従って服薬する

## 感染拡大の防止は十分か?

- ☑ うがいや手洗い、マスク着用を再度徹底する
- ☑ 食品の衛生状態を確認する

## スタッフ間の連携はとれているか?

- ☑ 患者の情報を共有できている
- ☑ 医療職との協力体制ができている

**+α** 激しい腹痛を伴う水様便や血便等で頻回の排便がある場合、できるだけ早く受診する

文例

## 予防対策は適切か？

▶「刺身が食べたい」というリクエストがあった。しかし、**O157**（オーイチゴーナナ）**が流行していることを説明**し、焼き魚にすることを納得してもらった。

▶ 生肉を切った包丁とまな板には菌が付着している可能性があるので、よく洗浄した。また、野菜を切る際には、別の包丁とまな板を使った。

## 患者への対応はどうか？

▶ O157に感染してから**2日間、下痢が止まらない**。苦しそうだったが、止痢剤は菌が体内に留まり回復が遅くなるとの医師の指示により使わなかった。

▶ O157が重篤化し、**1週間の入院**。その間**4kgやせた**。体力をつける必要があるが、「食欲がない」とのことなので、消化しやすい食事を提供した。

## 感染拡大の防止は十分か？

▶ 入所者のひとりがO157に感染していることが判明。**直ちに他の入所者に対し感染の有無を調査した**。また、二次感染を防ぐため、施設内の消毒を行った。

▶ O157に感染した渡辺さんが、廊下で嘔吐した。二次感染の恐れがあるので、**マスクやメガネ、手袋をつけて嘔吐物を処理した**。

## スタッフ間の連携はとれているか？

▶ **昨夜から下痢が続いている**。O157の感染者が出た場合、医師は法律に基づき保健所に報告しなくてはならない。**直ちに受診するようお願いした**。

▶ O157の感染が見つかる。O157の潜伏期間は2日〜9日と幅があるので、急な事態にも対応できるよう、スタッフのシフトを組み直すことにした。

感染予防

第2章 お役立ち文例集

### ケーススタディ O157

島田さんは、スタッフに自分から声をかけることがあまりなく、体調が悪くても我慢しがちです。

ある日、朝から顔色が悪かった島田さんは、朝食中にトイレに駆け込み、出てきませんでした。

スタッフが様子を見に行くと、島田さんは、下痢が止まらないこと、血便が出ること等を話し始めました。実は昨夜から下痢が続いていたのですが、言い出しにくかったそうです。

血便が出ることから、O157に感染している疑いがあるため、直ちに病院に行くことになりました。

## ここを Pick UP

- ✓ おとなしい性格の利用者も、身体の不調を訴えやすい環境を整えることが大切である。

- ✓ 感染初期の段階では、便に混じる血液の量は少なく、発見は難しい。日頃から便の性状を観察しておくことが早期発見につながる。

## 伝わる記録 　Good!

　島田さんは、起床時から顔色が悪く、朝食中にトイレに駆け込んだきり、戻ってこなかった。
　様子を見に行くと「昨夜から下痢が止まらない。便に血も混じっている」と小声で話す。
❶便を見てみると、血液が大量に混じっており、O157に感染している可能性があると判断。直ちに病院に行くことにした。本人が言いにくいことでも、❷話しやすい雰囲気づくりが緊急課題だ。

> **1** 実際に便を見て対応を判断しているのでGood。今後は、血便が少量のうちに発見できるように注意しましょう。

> **2** 利用者の性格を踏まえて、課題を見つけているのでGood。今後は、解決策を講じることが必要になります。

## 伝わらない記録　Bad...

　朝食中、島田さんがトイレに行ったきり、戻ってこない。様子を見に行くと、「昨夜から下痢が止まらない」と言う。

> 下痢を訴えるまでの過程も書きましょう。また、血便が出た様子も具体的に記録に残しておきましょう。

感染予防

# ターミナルケア

終末期においては、心と身体の変化を記録に残しておきます。その際、利用者の尊厳を保持するケアに加えて、死別による家族へのケアも考えておきましょう。

## ターミナルケア の観察ポイント

### 精神的苦痛はどうか?

- ☑ 病状への不安がある
- ☑ 死への恐怖がつのる

### 社会的苦痛はどうか?

- ☑ 家族や身内への思いが強い
- ☑ 孤独感に対する不安がある

### 意識の変化はどうか?

- ☑ 清明である
- ☑ 明識困難➡傾眠➡昏睡の順に変化

### 危篤時の状況はどうか?

- ☑ バイタルサインの変化を確認
- ☑ 臨終期の対応
  ⇒医療職、家族へ連絡

文例

## 精神的苦痛はどうか?
- 時折、穏やかな表情を見せることもあるが、病状の悪化に伴い、**痛みが増している様子**で、**表情に恐怖や不安が浮かぶことも多くなった**。
- スタッフがそばにいるだけで落ち着いている様子。会話はしなかったが、手を握ったり、さすったり、なでたりして寄り添う。

## 社会的苦痛はどうか?
- **長い入院生活で、社会との関係が薄れていくことへの不安や寂しさ**を話してくれる。家族を通して、昔の友人に来てもらうことも検討する。
- 身寄りのない方なので、ひとりにしないように心がける。今日は、学生時代の話をしてもらった。安心させるために、相づちを打って傾聴する。

## 意識の変化はどうか?
- 呼びかけにも**笑顔で返事**をしてくれる。**意識は清明**であり、**見当識もはっきり**している。
- 意識障害が重度になってきた。ただ、名前を呼ぶと少しだけ顔を動かしてくれる。脈拍、血圧、体温は異常なし。少し息苦しそうだ。

## 危篤時の状況はどうか?
- **21時12分、容態が急変し、意識がなくなる**。医師への連絡。また、家族（長男）にも連絡する。
- **だんだん呼吸が浅くなり、下顎呼吸が始まる**。23時38分、家族や主治医、チームケアに携わったスタッフらが静かに最期のときを看取る。長男から「ありがとうございました」との言葉をもらう。

ターミナルケア

## ケーススタディ ターミナルケア

　菅原さんは胃がんと診断され、半年前に末期がんの宣告をされてからは、家族と相談して特別養護老人ホームに入所することになりました。

　入所してからは、朝起きると「外が見たい」と言ったり、「息子の大輔が心配だ」と家族のことを気にかけたりして、元気がありません。

　ある日、菅原さんが「あの歌が聴きたい」とつぶやいたのを聞き、次の家族との面会日にお気に入りのCDを持ってきてもらうことにしました。

　当日、さっそくCDを聴き始め、とてもうれしそうでした。

### ここを Pick UP

- ✔ 末期がんで苦しんでいても、利用者に寄り添い、その思いに親身になって耳を傾けることが重要である。

- ✔ 症状の軽減や生きがいを充足するために、家族と連携し、本人の趣味や好きなものを体験してもらうことが大切である。

## 伝わる記録 *Good!*

　菅原さんは、❶ひとりでいると不安になるので、そばに寄り添って話を聴いたり、手を握ったり、腕をさすったりしていた。

　ある日、「あの歌が聴きたい」と言っていたので、家族にお気に入りのCDを持ってきてもらう。

　当日、❷そのCDを聴いた菅原さんは、「どうもありがとう」と言って、とてもうれしそうだった。今後も、菅原さんの思いを親身になって聞いていきたい。

> **1** 心身のやすらぎに配慮しているのでGood。ただ、バイタルサインの変化には、常に気を配らなければなりません。

> **2** 本人の願いをかなえているのでGood。本人に楽しい時間を過ごしてもらえるよう、ケアしていきましょう。

## 伝わらない記録 *Bad...*

　菅原さんは、歌謡曲が好きなようなので、CDを持ってきてもらう。

> ターミナルケアでは、コミュニケーションが困難になります。ちょっとした言動にも注意して、本人の願いをかなえられるよう配慮しましょう。

ターミナルケア

# トラブル

ヒヤリ・ハットや様々なトラブルがあったとき、同じことを繰り返さないために、そのときの状況を正確・客観的に記録しておくことが求められます。

## ヒヤリ・ハット事例 の観察ポイント

### 体調やバイタルサインはどうか?

- ☑ 貧血の影響でいすから落ちそうになる
- ☑ 既往症が再発する

### 施設の設備等に不備はないか?

- ☑ じゅうたんの端につまずく
- ☑ (呼び出し用の)コールが故障した

### スタッフの体制に問題はないか?

- ☑ 事故が起こりそうなとき、スタッフ不在
- ☑ スタッフ間で連携がとれていない

### 事例の分析は適切か?

- ☑ スタッフ全員で回覧・確認している
- ☑ 報告書は誰でも確認できる

文例

## 体調やバイタルサインはどうか?

▶ いつもはスムーズにできるのに、今朝、ベッドから車いすへの移乗を失敗しそうになった。**筋力が低下しているのかもしれない**ので、経過を観察する。

▶ 他の利用者の薬を、自分の物だと思って飲もうとした。ただの勘違いかもしれないが、**最近物忘れが増えている**ので、認知症進行の可能性もある。

## 施設の設備等に不備はないか?

▶ 田中さんが階段でバランスを崩して手すりにつかまったところ、**手すりがぐらぐらしている**。ひとまずネジを締めておいたが、念のため業者に連絡した。

▶ 14時頃に起こった地震で、食器棚が大きく揺れた。震度によっては倒れる危険があると考え、耐震対策でつっかえ棒を設置した。

## スタッフの体制に問題はないか?

▶ 認知症のある小林さんが、無断で施設から出ようとした。**本人は家に帰るつもりだったようだ**。守衛から連絡を受けなければ、気づかないところだった。

▶ レクリエーション中は、麻痺のある本沢さんにスタッフの注意が向きがちになる。他の利用者に問題が生じたときに即座に対応できないことが考えられるため、スタッフの増員を検討。

## 事例の分析は適切か?

▶ 1つの重大事故の背景には、29の軽微な事故と300のヒヤリ・ハットがある(ハインリッヒの法則)。その意識を徹底し、報告書を全員が読むようにする。

▶ 他の介護施設と、意見交流会を行った。情報を共有することで、事故の防止につなげたい。

トラブル

第2章 お役立ち文例集

## ケーススタディ ヒヤリ・ハット事例

　磯村さんは脳梗塞の後遺症により、右手に軽い麻痺があります。ただし利き手は左手なので、日常生活に大きな支障はなく、ADLも自立しています。また、入浴が大好きで、他の利用者よりも長く浴槽につかる傾向にあります。

　しかし、先日、30分以上経っても浴室から出てきませんでした。様子を見に行っても物音がしません。慌てて声をかけ、浴室に入ると、磯村さんは、浴槽の中でウトウトしていました。

　幸い、磯村さんは、のぼせていただけで、元気そうでした。

### ここを Pick UP

- ✔ 長時間の入浴は、身体に負担がかかる。うたた寝をしている可能性もあるので、十分な注意が必要である。

- ✔ 本人に自覚症状はなくても、身体に何らかの異変が起こっている可能性もある。場合によっては医師の診断を受けることも検討する。

## 伝わる記録 Good!

　磯村さんは、右手に軽い麻痺があるが、ADLは自立しており、ひとりで入浴する。長風呂で、「あまり急かさないでほしい」と言われている。

　しかし、今夜は30分以上経っても浴室から出てこない。声をかけ、浴室に入ると❶「気持ちよくて、ウトウトしていた」とのこと。

　幸い、本人に異常はない。❷「急かさないで」という要望はあるが、もっと声かけをするべきだった。

> **1** 入浴中の磯村さんの様子が伝わるのでGood。状況によっては、声だけで利用者の状態を判断せず、実際に目視することも必要です。

> **2** 反省点が具体的に書かれているのでGood。今後は、磯村さんの要望を尊重しつつ、安全な入浴方法を検討しましょう。

## ✕ 伝わらない記録 Bad...

　長風呂が好きな磯村さんが、出てこない。様子を見に行くと、うたた寝していたと言う。事故にならなくてよかった。

> 磯村さんがどれだけの間、浴室から出てこなかったのか、時間を具体的に書きましょう。また、今後の防止策も考えておきましょう。

## トラブル の観察ポイント

### 原因はどこにあるか?
- ☑ できないことへのいら立ちがある
- ☑ 家族・他の利用者との感情の行き違い

### けがや損傷はないか?
- ☑ 当事者がけが
  ⇒医療職に連絡
- ☑ ガラスや食器の破片が散乱している

### トラブル後の経過はどうか?
- ☑ お互いに目を合わせない
- ☑ 話し合って誤解が解ける

### スタッフの対応は適切か?
- ☑ トラブルを防止する
- ☑ 有効な対策を講じている

文例

## 原因はどこにあるか?

▶ 朝起きてすぐ「**財布を盗まれた**」と騒ぎ出した。しかし、財布は本人のコートのポケットに入っていた。**認知症の被害妄想**が原因と考えられる。

▶ 相部屋の佐藤さんと鈴木さんは、けんかが絶えない。今日も「どちらが先に風呂に入るか」で怒鳴り合いになった。部屋割り変更を検討する。

## けがや損傷はないか?

▶ 歓談中、八木さんに「**声が大きい**」と注意され、**激昂してコップを投げつけた。興奮して飛びかかりそうだった**ので、まずは声かけをして落ち着かせた。

▶ 4人部屋の大山さんが「**他の人が話をしてくれない**」と訴えてきた。対策も必要だが、大山さんの心のケアも検討する。

## トラブル後の経過はどうか?

▶ 井原さんは、交通事故の後遺症で、右足に麻痺が残っている。その**リハビリがつらいようで、周りの人に当たり散らす**ため、周りの人から避けられている。

▶ 仲がよい加藤さんと木村さんを相部屋にしたら、気まずくなった。部屋を変えてしばらくすると、また仲良しに。人間関係は単純にはいかないと痛感した。

## スタッフの対応は適切か?

▶ 突然怒り出して杖を振り回す竹田さんに、「やめなさい!」と声を荒らげてしまった。感情的になるべきではなかったと反省している。

▶ 丁重に介護したところ、「**うっとうしい**」と怒鳴られた。いつもより時間をかけすぎてしまった。

## ケーススタディ トラブル

鈴木さんは、穏やかな性格で、他の入所者やスタッフとも良好な人間関係を築いています。

ある日、鈴木さんの長男が、深刻な表情をしてスタッフを訪ねてきました。長男によると、鈴木さんは面会のたびに「私はいじめられている」と涙声で話すそうです。

長男は「みなさんは親切にしてくれる。もしかして、認知症ではないか」と心配そうです。

そこでスタッフは、鈴木さん本人に話を聞いてみることにしました。

### ここを Pick UP

✓ スタッフは、利用者本人だけでなく、家族からも相談を受けることがある。関係者だけで話ができるスペースを用意しておく必要がある。

✓ 認知症の被害妄想が疑われるケースではあるが、早急に決めつけず、まずは状況を把握することに努める。

## 伝わる記録 Good!

　鈴木さんは、穏やかな人柄で、人間関係も良好だ。しかし、長男によると、面会のたびに「私はいじめられている」と涙声で話すとのこと。

　長男は、認知症の被害妄想を疑っているが、❶鈴木さんは、リーダーを務めたり、自力で食事や入浴を行っているので、認知症とは考えにくい。

　❷誤解なのか、本当に何かされているのか、判断がつかないので、本人と面談することにした。

> **1** 認知症を否定する根拠が、具体的に示されているのでGood。今後は十分に経過を観察し、異変を感じたら医療職に相談しましょう。

> **2** 長男側の言い分をうのみにしていないのでGood。面談の際は、くつろげる部屋を選ぶ等、悩みを打ち明けやすい環境を作りましょう。

## ✕ 伝わらない記録 Bad...

　鈴木さんの長男によると、鈴木さんは「いじめにあっている」と訴えているらしい。

> 鈴木さんがいじめにあっていることが事実なのか、しっかり分析しましょう。また、普段、周囲とどのように接しているのかも記述しましょう。

トラブル

第2章 お役立ち文例集

## 事故報告 の観察ポイント

### 事故の概要は
把握しているか?

- ☑ 本人に余裕があれば、状況を尋ねる
- ☑ 発見に至るまでの経緯を説明する

### 本人の状態はどうか?

- ☑ けがの状態を把握する
- ☑ バイタルサインの確認

### 事故発生時の対応は
適切だったか?

- ☑ スタッフの数は足りている
- ☑ 医療職の判断を仰いだ

### 事故後の報告・連絡は
できたか?

- ☑ 事故の発生状況を正確に記述する
- ☑ 誰かをかばう等しない、客観的な記述

文例

## 事故の概要は把握しているか?

▶ **悲鳴が聞こえたので居室に行くと、両足首に水ぶくれができていた**。湯たんぽに足を置いたまま寝て、低温やけどを負ったようだ。すぐに医務室に連れて行く。
▶ 二葉さんに呼ばれ2階の廊下に行くと、南山さんが**腹臥位で床に横たわっていた。意識は朦朧としている**。病院に搬送してから、二葉さんに聞き取りをした。

## 本人の状態はどうか?

▶ **いすから転落し、右側頭部を打った。呼びかけには応じ、意識もしっかりしている**。医務室に連れて行った。経過を観察する。
▶ 他の人が服薬している**栄養剤を誤って飲んでしまった。顔色がすぐれないので**、念のため医務室に連れて行き、様子をみることにした。

## 事故発生時の対応は適切だったか?

▶ 夕方の地震で、驚いた坂崎さんが逃げようとして転倒した。大きな地震ではなかったので、つい油断してしまった。「大丈夫ですよ」と声かけをするべきだった。
▶ 外出時、他の利用者介助中に、竹田さんがいなくなった。**14時に警察に届け、15時にA公園でスタッフが無事保護**。今後は、外出時のスタッフ増員を検討。

## 事故後の報告・連絡はできたか?

▶ **自力で車いすからベッドに移乗しようとして転倒。右大腿骨を骨折した**。家族に報告し、謝罪をするとともに、再発防止策を説明した。
▶ **最近、廊下での転倒や衝突が多い**。これまでの事故報告書をもとに、対策会議を開いた。

## ケーススタディ 事故報告

宮永さんは、左手に軽い麻痺があるものの、ADLは自立しており、歩行は問題ありません。若いときは、マラソン選手として活躍したそうで、普段から足腰が強いことを自慢しています。

ある日の朝、物音がしたのでスタッフが駆けつけると、宮永さんが階段の下に倒れていました。

本人は「何でもない」と言い張りましたが、足を痛めたらしく、立ち上がれませんでした。

事情を尋ねると、階段を下りる際、足を滑らせたことを言いにくそうに話し始めました。

### ここを Pick UP

- ✔ 事故を起こした当事者は、恥ずかしがって事情を話さないことがある。普段から何でも話し合える信頼関係を築いておくことが大切。

- ✔ 高齢者は、本人が無自覚のうちに足腰が弱っていることがある。階段の昇降では手すりを使うことを徹底するとよい。

## 伝わる記録 Good!

　今朝、物音がしたので駆けつけると、宮永さんが階段の下の床で仰向け状態になっていた。階段から落ちたらしいが、❶日頃から足腰が強いことを自慢しているからか、「何でもない」と言い張る。

　痛みを訴えて立ち上がれず、右ひざに腫れもある。救急車を待つ間、❷「誰にでも失敗はあります。何があったか教えてくれませんか」と聞くと、「階段で足を滑らせてしまって」と話してくれた。

> **1** 話したがらない理由がうかがえるのでGood。普段から利用者の様子を注意深く観察しておきましょう。

> **2** 宮永さんの心を和らげた言葉が具体的に書かれているのでGood。利用者の自尊心に配慮した言葉を選ぶことは重要です。

## ✗ 伝わらない記録 Bad…

　宮永さんが階段から落ちて倒れていた。なかなか事情を話してくれなかったが、階段を下りる際、足を滑らせたそうだ。

> 転落場面を目撃していないのに「落ちて倒れていた」と推測しないようにしましょう。また、どのような処置をしたのかも書きましょう。

## 個人情報保護について

　介護スタッフは、ケアプランや介護記録等から、利用者の身体能力・家庭環境・経済状況等、他人が容易に知り得ない個人情報を知り得る立場にあります。

　本来、これらの個人情報は、利用者により質の高いサービスを提供するためのものですが、取り扱いには十分注意しなければなりません。
　例えば、記録に他の利用者の個人名を記した場合、家族への開示の際には個人名を黒く塗りつぶす等の配慮が必要です。

　原則として、個人情報を利用するには、利用目的を説明し、利用者や家族の同意（書面）を得る必要があります。
　介護スタッフには、「正当な理由なく、その業務上知り得た利用者又はその家族の秘密を漏らしてはならない」という守秘義務が課せられています。これは、退職（離職）後も適用される終身義務になっています。

# 付録

- ◆ 介護記録に使う身体の部位
- ◆ 介護記録に使う体位
- ◆ 介護記録に使う福祉用具
- ◆ 記録に役立つ表現集

# 介護記録に使う身体の部位

身体の部位の名称を紹介します。身体の部位を覚えておくと、利用者の状況をより具体的に説明でき、読みやすい介護記録の作成に役立ちます。

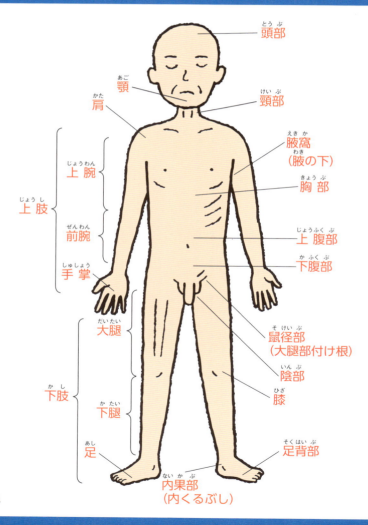

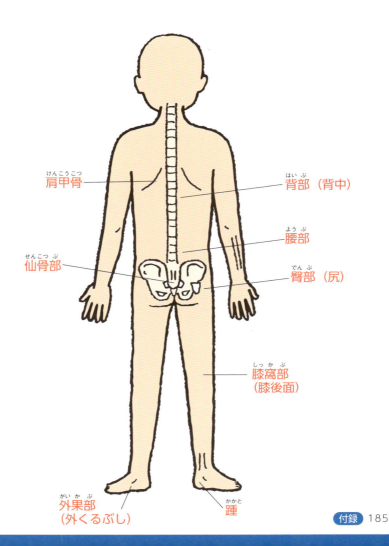

# 介護記録に使う体位

介護で使われる体位の名称を紹介します。体位の名称をしっかり覚えておくと、利用者の姿勢をスムーズに説明でき、読みやすい介護記録の作成に役立ちます。

## ●仰臥位(背臥位)

仰向けに寝ている姿勢のこと。重心の位置が低いので安定している

## ●腹臥位

うつぶせに寝ている姿勢のこと。窒息の恐れがあるので、顔は横向きに

## ●側臥位

横向きに寝ている姿勢のこと。下の腕が身体の下にならないよう注意する

## ●ファーラー位

上半身を45度起こした姿勢のこと。上半身を15度〜30度起こすと、セミファーラー位になる

### ●立位

立った姿勢のこと。重心の位置が**高い**

### ●膝立ち位

両膝を **90度**曲げた姿勢のこと

### ●長座位

上半身を90度起こし、両下肢（足）を**前に伸ばして**座った姿勢のこと

### ●端座位

**ベッドなどの端**に腰かけて足を下ろした姿勢のこと

### ●椅座位

**車いすやいす**に座った姿勢のこと

### ●とんび座位

**下腿を左右に開き**、尻を床につけた姿勢のこと

# 介護記録に使う福祉用具

介護では、さまざまな福祉用具が使われます。なかでも、よく利用されるものを紹介します。部位の名称も含めて覚えておきましょう。

## ●車いすの各部位

①ハンドグリップ
（引っぱっても抜けないか確認）
②バックサポート（背もたれ）
③アームサポート（※）
④ブレーキ
⑤シート
⑥サイドガード
⑦ティッピングレバー
⑧ハンドリム
⑨大車輪（後輪）
（空気が抜けていないか確認）
⑩キャスタ（前輪）
⑪レッグサポート
⑫フットサポート（※）
⑬レッグサポートパイプ
※の部分は、取り外しのできる機種もある

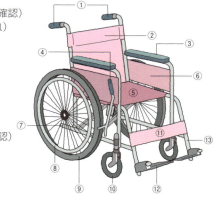

## ●特殊寝台（ギャッチベッド）各部位

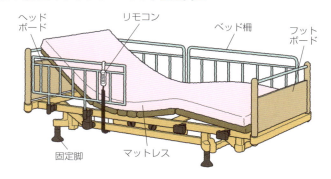

## ●杖の種類

歩行が不安定な人向き　　歩行がやや安定している人向き

三脚杖　　四脚杖　　オフセット型杖　　プラットホームクラッチ　　ロフストランド・クラッチ

## ●歩行器の種類

四脚歩行器（固定型、交互型）

キャスタ付き歩行器（3輪など）

## ●自助具の種類

長柄ブラシ　　ボタンエイド　　リーチャー

# 記録に役立つ表現集

介護記録でよく用いられる表現のバリエーションをまとめました。テーマ別に分けてありますので、表現に困ったとき、より的確に表現したいときの参考にしてください。

## ●表情・気分の表現例

| | |
|---|---|
| 気分がよいとき | 顔色がよい／表情がよい／穏やかな表情／生き生きとした表情／表情が緩む／楽しそうな表情／リラックスした表情／表情に活気がある<br>笑顔が出る／大笑いする／ほほえむ／安心した様子 |
| 気分が悪いとき | 硬い表情／険しい表情／厳しい表情／苦しそうに顔をゆがめる／不穏／強ばった表情<br>青白い顔色／血の気が失せる／赤みを帯びた顔色 |
| 変化があるとき | 顔をしかめる／目を見開いている／涙を流す／眉間にしわをよせる<br>不安な表情／落ち着きがない／怒った表情／強ばった表情 |
| 変化がないとき | 顔色や表情に変化はみられない／普段どおりの顔色 |

## ●食事の表現例

| 食事前 | 空腹を感じている／すでに満腹感がある／食事を楽しみにしている／あまり気がのらない |
|---|---|
| 食事中 | 勢いよく食べる／テンポよく食べる／ゆっくり食べる／休み休み食べる／ちょっとずつ食べる<br>食事が進まない／手をつけようとしない／席を立とうとする<br>飲み込みが悪い／むせ込みがある |
| 食事後 | 満腹感がある／「おいしかった」と言う／食べ足りない様子<br>だるそうにしている／食べすぎている／下痢をしている |

## ●起床の表現例

| 顔の表情 | すっきりとした表情／眠たそうな顔をしている／寝ぼけた表情／目をこすっている／あくびをする |
|---|---|
| 身体の状態 | 意識がはっきりしている／覚醒している／まだ覚醒していない<br>「おはよう」と返事がある／すでに起きている |
| 気温 | 温かい／暑い／寒い／底冷えする |

## ●夜間・睡眠の表現例

| 呼吸音・いびき・うわごと | 「スースー」とリズムのよい呼吸音／呼吸音が弱い／不規則な呼吸音／「ゼイゼイ」という呼吸音<br>「グーグー」といびきをかく／うわごとを言う |
|---|---|
| 寝ている状態 | 静かに寝ている／眠れない／布団を蹴飛ばす／寝返りを何度も打つ／ベッドから落ちる |

## ●入浴の表現例

| 顔の表情 | 汗びっしょり／顔が赤い／顔が青白い／表情がすぐれない |
|---|---|
| 入浴中の様子 | 気持ちよさそう／「いいねぇ～」と楽しそう／鼻歌まじり／落ち着かない様子／息苦しそうな様子<br>さっと出てしまう／身体が温まらないうちに出てしまう／長風呂／なかなか出てくれない |

## ●転倒・尻もちの表現例

| 転倒現場を見た（居合わせた）場合 | ベッド右側の床に仰向け状態に倒れた<br>車いすからずり落ちて、尻もちをついた |
|---|---|

| 転倒現場を見ていない場合 | ベッドの左側の床に右側臥位状態になって（右側を下にして横たわって）いた<br>車いす前方にお尻をついて、膝を立てて座っていた |
|---|---|

## ●便の表現例

| 形状 | 硬い・軟らかい | 硬便・軟便 |
|---|---|---|
| | コロコロ | 兎（うさぎ）の糞（とふん）のような便（兎糞便） |
| | 泥状・水状 | 泥のような便（泥状便）<br>水のような便（水様便） |
| 色 | 黄褐色 | 黄褐色／茶褐色／黄金色<br>※理想的な便の色 |
| | 白〜灰色 | 白っぽい／灰色がかった<br>※ウイルス性の腸疾患等の疑いがあるため、すぐに医療職に連絡する |
| | 黒色系 | 黒褐色／黒に近い褐色／タール便<br>※胃潰瘍、十二指腸潰瘍等の疑いがあるため、すぐに医療職に連絡する |
| | 赤色系統 | 赤色／暗赤色<br>※痔や大腸がん等の疑いがあるため、すぐに医療職に連絡する |

| 量 | ～150g | 少量、ゴルフボール2個位 |
|---|---|---|
| | 150g～250g | 普通の量、バナナ1本位 |
| | 250g～ | 多量、バナナ2本位 |

## ●尿の表現例

| | | |
|---|---|---|
| 色 | 無色、淡黄色 | 無色透明／薄い黄色 |
| | 鮮黄色 | 黄色／きれいな黄色 |
| | 黄褐色 | 濃い黄色／濁った黄色 |
| | 赤色、赤褐色 | 赤い／赤く濁った<br>※腎炎、膀胱炎等の疑いがあるため、すぐに医療職に連絡する |
| 量・回数 | 多尿 | 一般に、1日の尿量が、2,000ml～3,000ml以上の場合 |
| | 頻尿 | 一般に、1日の排尿回数が、昼8回～10回、夜2回以上の場合 |

## ●病変・けがの表現例

　褥瘡や白癬等、医療職でなければ判断できないものについては、診断が出るまでは断定せず、できるだけ具体的に症状を記録します。傷やあざ等は該当部分の大きさも記録します。

| | |
|---|---|
| 身体 | 38.5度の発熱／身体が熱い／嘔吐（吐瀉）した／倦怠感を訴える／下痢が続く |
| 顔色 | 青白い／血の気が引いている／どす黒い／顔面紅潮／苦痛に顔をゆがめる |
| 呼吸 | ハァハァ／ゼイゼイ／ヒューヒュー／ウーウー(と唸る) |
| 皮膚 | 赤い湿疹／赤い斑点／発赤がある／ブツブツした赤い腫れがある／白っぽくカサカサしている／青白い／茶褐色／黒ずんでいる褥瘡がひどくなっている／床ずれがひどくなっている |
| 爪 | 肥厚がみられる／白濁している |
| 痛み | ズキズキする／鈍い痛み／鈍痛／ジンジンする／ヒリヒリする／チクチクする／激しい痛み／激痛 |
| 腫れ | 腫れがある／赤紫色の腫れ |
| むくみ | むくみがみられる／浮腫がみられる |
| ただれ | 赤いただれ |

| こぶ | たんこぶ／腫れ／ふくらみ |
| --- | --- |
| あざ | 赤いあざ／青いあざ／紫色のあざ |
| 傷 | かすり傷／すり傷<br>きり傷／切創<br>裂けている傷／裂傷<br>やけど／熱傷 |

## ●略語の一例

施設内で統一を図れば、記録に次のような略語を使用することもできます。

| BP | 血圧（**B**lood **P**ressure） |
| --- | --- |
| P | 脈拍（**P**ulse） |
| T | 体温（**T**emperature） |
| Wt | 体重（**W**eigh**t**） |
| H | 時間（**H**our） |
| ㊧ | 主食 |
| ㊪ | 副食 |
| B.B | 清拭（**B**ed **B**ath） |
| M.C | 口腔ケア（**M**outh **C**are） |

| | | |
|---|---|---|
| St | | 便 (**St**ool) |
| Ur | | 尿 (**Ur**ine) |
| Pトイレ | | ポータブルトイレ (**P**ortable Toilet) |
| HP | | 病院 (**H**os**p**ital) |
| NC | | ナースコール (**N**urse **C**all) |
| Fa | | 家族 (**Fa**mily) |
| Dr. | | 医師 (**D**octo**r**) |
| Ns | | 看護師 (**N**ur**s**e) |
| OT | | 作業療法士 (**O**ccupational **T**herapist) |
| PT | | 理学療法士 (**P**hysical **T**herapist) |
| ST | | 言語聴覚士 (**S**peech-Language-Hearing **T**herapist) |

## ●人物の表現方法の一例

施設内でのルールがある場合はそれに従います。

| 利用者本人 | 本人<br>実名で記録（田中さん） |
|---|---|
| 利用者の家族 | 具体的に記録（夫、妻、長男、次男、長女、長男の妻、長男の娘等） |
| 他の利用者 | 実名で記録（山田さん）<br>※イニシャルによる記録も可<br>※対人トラブル等、必要と判断される場合には実名を使用 |
| 施設職員 | 実名で記録（敬称なし）<br>※必要な場合は役職名を記録 |

## この本の監修者・執筆者

●白井 幸久 【監修・執筆】
　群馬医療福祉大学短期大学部医療福祉学科教授

●廣池 利邦 【監修・執筆】
　前・群馬医療福祉大学短期大学部医療福祉学科教授
　NPO法人アクティビティ・サービス協議会理事長

●片桐 幸司 【執筆】
　社会福祉法人二之沢愛育会特別養護老人ホーム ひかりの里施設長

●川口 真実 【執筆】
　西武文理大学サービス経営学部健康マネジメント学科講師

●関口 喜久代 【執筆】
　合同会社サザンカ代表社員

●瀬谷 瞳 【執筆】
　居宅支援事業所ローズビレッジ介護支援専門員

●土屋 昭雄 【執筆】
　群馬医療福祉大学短期大学部医療福祉学科教授

正誤等の情報につきましては、下記「ユーキャンの本」ウェブサイト
でご覧いただけます。
https://www.u-can.co.jp/book/information

| 装　　　　丁 | 林 偉志夫（IH_Design） |
| 本文デザイン | 次葉 |
| イ ラ ス ト | 寺崎愛 |
| 編 集 協 力 | 早坂美佐緒（株式会社 東京コア） |
| 企 画 編 集 | 株式会社 ユーキャン |

### 場面別でよくわかる！介護記録の書き方&文例

2022年5月20日　初　版　第1刷発行
2024年3月31日　初　版　第2刷発行

| 監修者 | 白井幸久／廣池利邦 |
| 編　者 | ユーキャン介護職のための介護記録研究会 |
| 発行者 | 品川泰一 |
| 発行所 | 株式会社 ユーキャン 学び出版 |
| | 〒151-0053 東京都渋谷区代々木1-11-1 |
| | Tel 03-3378-2226 |
| 編　集 | 株式会社 東京コア |
| 組　版 | 次葉 |
| 発売元 | 株式会社 自由国民社 |
| | 〒171-0033 東京都豊島区高田3-10-11 |
| | Tel 03-6233-0781（営業部） |

印刷・製本　シナノ書籍印刷株式会社

※落丁・乱丁その他不良の品がありましたらお取り替えいたします。お買い求めの書店か自由国民社営業部（Tel 03-6233-0781）へお申し出ください。

Ⓒ U-CAN,Inc. 2022　Printed in Japan　ISBN978-4-426-61409-6

本書の全部または一部を無断で複写複製（コピー）することは、著作権法上の例外を除き、禁じられています。